TWYLL DYN

Argraffiad cyntaf: Rhagfyr 1982

Rhif Llyfr Safonol Rhyngwladol: 0 86243 040 2

Y Lolfa

Argraffwyd a chyhoeddwyd yng Nghymru
gan Y Lolfa Cyf., Talybont, Ceredigion SY24 5HE;
ffôn Talybont (097086) 304.

Twyll Dyn

O Gwymp Adda tan yr Ugeinfed Ganrif

Yn ysgrifenedig gan LYN EBENEZER;
yn arluniedig gan ELWYN IOAN

Eirwyn Pontshân

Rhaid i rai fyw ar fynyddoedd –
Ni chaiff pawb mo'r dyffryn hardd,
Dyna'r achos o'n gwendidau,
Pechod Adda yn yr ardd.

CERNGOCH

Cyflwyniad

Yn y Roial, yn Steddfod Caernarfon ym 1959 y cwrddes i â Phontshân gynta, ac mae 'mywyd i wedi ei gyfoethogi o'r herwydd.

Am dros ugen mlynedd bu'r ddau ohonon ni yn gyfeillion agos, yn treulio ymron bob wythnos Steddfod gyda'n gilydd, ac yn cwrdd yn weddol aml hefyd.

Pleser pur yw cael bod yn ei gwmni bob tro. Mae e'n un o'r eneidiau prin hynny sy'n meddu ar y ddawn reddfol i beri i bobol chwerthin. Ond fel pob clown da, mae ei ddoniolwch a'i arabedd yn cuddio teimladau dyfnion iawn. Mae Eirwyn yn dalp o genedlaetholdeb, ac ar brydiau, pan fo masg y clown yn llithro, daw ei wladgarwch tanbaid i'r golwg. Y tu ôl i'r storïe doniol, y tu ôl i'r ymadroddion bachog a'r cerddi diarhebol mae gŵr sy'n teimlo i'r byw dros ei genedl.

Mae'r gyfrol hon, cynnyrch o ryw ddeng awr o recordio Eirwyn ar dâp, yn adlewyrchu'r ddwy elfen yn ei gymeriad —y digrifwr a'r cenedlaetholwr. Weithie mae'r ddwy elfen yn un, gydag Eirwyn yn dangos yn glir nad oes raid bod yn ddifrifol a sych wrth sôn am genedlaetholdeb, pa mor argyfyngus bynnag y mae arnon ni fel cenedl.

Fe gês, ac rwy'n dal i gael, oriau o bleser yng nghwmni Eirwyn, a byddai ailadrodd rhai o'r helyntion ddaeth i ran y ddau ohonon ni yn destun cyfrol yn ei hunan. Ond rhaid bodloni yma ar un hanesyn yn unig, a hwnnw'n hanesyn sy'n crynhoi holl gymeriad Eirwyn, ac un sy'n profi gwirionedd ei hoff ddywediad,

"Os wyt ti byth mewn trwbwl, treia ddod mâs 'no fe."

Y lle oedd mynedfa'r Deuddeg Marchog yn Aberafan, a'r dyddiad oedd dydd Iau, Awst 4ydd, 1966, diwrnod y Cadeirio yn yr Eisteddfod Genedlaethol.

"Dyma beth yw diflastod llwyr", medde Eirwyn. A doedd e ddim yn gor-ddweud. Wedi'r cyfan, beth fedre fod yn ddiflasach? Deng munud wedi tri yn y prynhawn. O'n blaen, trwy ddrws agored y gwesty, gwaharddai dilyw Awst yr hawl i ni gerdded y filltir wleb i'r Maes i weld cynffon seremoni Cadeirio ein hen gyfaill, Dic Jones. O'n hôl roedd drws caeëdig y bar, a'r allwedd wedi'i gwthio a'i throi yn llygad y clo.

"Mamgu'n hen, y fuwch yn dene a'r borfa'n brin," dolefai Eirwyn. "Further outlook, unsettled."

Ond yn sydyn fe fflachiodd rhyw oleuni newydd i lygaid Eirwyn, ac fe ddaeth rhyw wefr i'w wyneb e, rhyw olwg fel sy'n dod i wyneb bardd pan fo'r awen yn ymweld ar ei thro. Roedd Llywydd Anrhydeddus a Sylfaenydd Undeb Cenedlaethol Tancwyr Cymru wedi cael gweledigaeth!

Ffynhonnell y gobaith newydd oedd Daimler du, moethus a oedd wedi aros wrth y fynedfa. Agorodd y gyrrwr un o'r drysau ôl, ac allan ohono, yn ei hoil ogoniant, y camodd Cynan.

Na, doedd y peth ddim yn bosib! Doedd hyd yn oed rhywun mor eofn â Phontshân ddim yn mynd i fanteisio ar Archdderwydd Cymru er mwyn cael peint? Oedd.

Fel y cyrhaeddodd Cynan y drws, dyma Eirwyn, gydag osgo a fyddai wedi gwneud i Syr Walter Raleigh ymddangos fel anwar wrth daenu ei glogyn wrth draed Lisi'r Cyntaf, yn mynd ar ei liniau, yn gafael yng nghoesau'r bardd ac yn dwys-lefain.

"Tyred yn ôl i erwau'r wlad —blydi marfylys, Cynan!"

Dychmygwn glywed gwaedd am yr heddlu, clywed seiren yn canu a sŵn drws y gell yn cau yn glep. Ond yn lle hynny, clywn chwerthin braf yr Archdderwydd, â'i lais melfedaidd, dwfn yn ein gwahodd i mewn i glydwch y Deuddeg Marchog, lle y lletyai.

"Mae'n dda gen i gwrdd ag edmygydd bob amser," medde Cynan.

Ni agorodd drws ogof Sesame yn haws o flaen Ali Baba nag a wnaeth drws lolfa'r gwesty y prynhawn hwnnw o flaen Cynan. A thra roedd yr Archdderwydd yn archebu coffi, fu Eirwyn fawr o dro yn perswadio'r pengwin y tu ôl i'r bar i lenwi dau wydr peint.

Gan i mi'r noson gynt gael y fraint o actio mewn drama, a Chynan yn y gynulleidfa, manteisiais ar unwaith ar y cyfle o holi ei farn am y perfformiad. Manteisiodd Eirwyn yntau ar y cyfle o smoco ffags Embassy'r Archdderwydd.

O dipyn i beth llanwodd y stafell â gwesteion eisteddfodol, pob un yn cario'r Cyfansoddiadau o dan un fraich a phac-a-mac o dan y llall —prif anghenion pob eisteddfodwr gwerth ei halen. Ac ni chollodd Cynan ar y cyfle, chware teg, i gyflwyno Pontshân i bawb.

Erbyn pump o'r gloch, ac Eirwyn erbyn hyn wedi gwacáu pecyn Embassy'r Archdderwydd, dyma fe'n sefyll ar ben cadair, ac mewn tawelwch llethol, adroddodd bryddest Cynan, 'Mab y Bwthyn'. A doedd neb yn falchach nac yn uwch ei gymeradwyaeth ar y diwedd na'r awdur ei hun, gŵr a brofodd i ni'r prynhawn hwnnw un mor fawr a mawrfrydig yr oedd mewn gwirionedd, mor wahanol i ddarlun rhai pobol ohono.

Am hanner awr wedi pump daeth yn amser ffarwelio. Aeth Pontshân draw at Cynan a rhoi ei fraich am ei war.

"Diawl, Cynan," medde fe, "rŷch chi'n dipyn mwy o foi nag a feddylies i eriôd. Gan ein bod ni'n nabod ein gilydd mor dda erbyn hyn, gâi'ch galw chi'n Cyn?"

Gadawodd y ddau ohonon ni yn sŵn chwerthin braf Cynan, a oedd wedi llwyr ffoli ar gwmni Eirwyn.

Ydi, mae cael cwmni Eirwyn yn well na'r un tonic. A'r dasg fwya ges i wrth baratoi'r gyfrol hon oedd cadw rhag chwerthin yn uchel a direolaeth wrth drefnu geiriau Eirwyn i benodau.

Pan ymddangosodd *Hyfryd Iawn* ym 1966, yr un wythnos ag y bu'r cyfarfyddiad hanesyddol rhwng Pontshân a'r Archdderwydd, fe arwyddodd Eirwyn wyneb-ddalen fy nghopi i gyda'r geiriau,

"Diolch, Lyn, am ddal y gannwll."

Eirwyn, i ti mae'r diolch.

Lyn Ebenezer

Brwydrau Hunanlywodraethol

Peth ofnadw yw colli cyfle, ontefe. A ma pawb ohonon ni, ar ryw adeg neu gilydd yn ein bywyd wedi meddwl, 'Diawl, tawn i'n gwbod beth wy'n wbod nawr, tawn i'n câl y cyfle 'na 'to . . .' Ond dyna fe, rhy hwyr, rhy hwyr.

Dyna beth odd gyda rhyw fardd anhysbys yn 'i feddwl pan ganodd e rwbeth fel hyn,

Wedi rhedeg dan regi –i'r orsaf,
O'r arswyd, 'na biti,
Dim ond eiliad, myn diawl i,
Wedi mynd, wel dyma ni."

Nawr, falle bod gyda'r bardd anhysbys 'ma dipyn i'w ddysgu am gynghanedd, ond diawl fe lwyddodd i gyfleu'r siom o fod yn rhy hwyr. Un dyn bach ar ôl, chwedl Idwal Jones, ontefe. A'r un tant drawyd 'da'r bardd arall 'ny ganodd,

Er arian ac er eriol –er ŵylo,
Er alaeth beunyddiol,
Er gweddi yn dragwyddol,
Ni ddaw i neb ddoe yn ôl.

Nawr, pan ma un dyn bach yn colli cyfle ma pethe'n ddigon diflas, ond ŷn nhw? Ond beth am sefyllfa lle ma cenedl gyfan yn colli cyfle? 'Na i chi dristwch wedyn. 'Na i chi biti.

Wy'n cofio galw mewn tŷ yn y pentre gyda rhyw hen wraig. Mewn cêj fan'ny odd bydji bach pert. A dyma fi'n gofyn i'r hen fenyw os odd y bydji bach yn siarad, ontefe.

"Siarad!" mynte hi, "siarad wedoch chi? Eirwyn bach, ma'r bydji ma'n galler meddwl dros 'i hunan. Fe ddath John y gŵr mewn y nos o'r blân a dyma fe'n gweud wrtha i, 'Ma gen i newydd drwg. Ma Defis y gweinidog wedi marw.' A wyddech chi, Eirwyn, dyma'r bydji bach yn mynd lawr ar 'i benglinie a phlygu'i ben bach a gweud, 'O, 'na biti.' Dyna i chi barch, Eirwyn, gan dderyn at bregethwr."

Ie, 'na biti, ontefe. Tristwch mowr. Ond tristwch mwy odd i bobol Cymru, ar ôl blynyddodd o ddiodde o dan lywodreth Magi Thatshyr a'i siort, wrthod rhyw dipyn bach o ddatganoli gynigiwd i ni. Erbyn hyn, wrth gwrs, ma pobol Cymru wedi gweld 'u mistêc, ac fe fydde'n dda 'da llawer 'ny nhw petai nhw'n galler troi'r cloc nôl. Ond rhy hwyr, rhy hwyr. Petaen nhw'n gwbod beth ma nhw'n 'i wbod nawr fe fydden nhw wedi pleidleisio dros Gynulliad yng Nghardydd, a fe fydde Lord Lystan wedi gneud Prif Weinidog lyfli i ni.

Nawr, fydde neb balchach na fi o weld rhyw fesur bach o hunan-lywodreth yn dod i'r hen wlad ma. Ond fel sâr côd rwy'n gwbod pa mor bwysig yw câl pyrspectif. Hynny yw, gweld o bell, chwedl Watcyn Wyn. Ac rodd rhen Wat yn 'i deall hi. Dim gweld *rhan* o'r byd yn dod yn eiddo i Iesu mawr nath e, ond gweld *pob cyfandir*.

A wyddech chi, felna y dylen ni'r Cymry feddwl –dim am gâl rhyw Senedd Jôns y Ffish yn y docie yng Nghardydd ond câl Senedd yng ngwir ystyr y gair. Ond ma hyn yn gofyn am air bach o eglurhad, on'd yw e? Beth yw Senedd Jôns y Ffish, medde chi? Wel, mi weda i wrthoch chi.

Nawr, fel y mae'n dod i'm cof, hmmmmm, ie, hyfryd iawn, pan briodes i, fe gês i a'r wraig barlwr bach, a stafell wely ar ben y parlwr yng nghartre Jôns y Ffish yn y Borth. Iawn, ontefe. Hedd a thangnefedd yn teyrnasu. Blydi marfylys. Ond ddim yn hir.

Dim 'yn tŷ ni odd e, ond tŷ Jôns y Ffish. Dim 'yn dodrefn ni odd yn y parlwr a'r stafell wely ond dodrefn Jôns y Ffish. Jôns odd bia'r bwrdd a'r cwpwrth, y gwely a'r comôd.

Nawr, rodd hynna'n ddigon drwg, ond odd e? Ond ara bach, nawr. Howld on. Yn y dreire, yn y cwpwrth bach yn y parlwr, fan'ny odd Jôns yn cadw'i eiddo. Yn y drôr fan'ny y bydde Jôns yn cadw'i drowsyr clips a'i gyfflincs, 'i goler a'i styds a'i fowthpric. Yn y cwpwrth fan'ny y bydde Jôns yn cadw'i Feibl a'i lyfyr emyne.

Rodd cwpwrth i gâl 'da Jôns yn y gegin, lle'r odd e'n byw. Ond rodd Jôns am ddangos 'i awdurdod. Rodd e am bwysleisio pwy odd y mistir, pwy odd y bos. Yn amal, pan fydde'r wraig a fi, ie, hmmmmm, Mrs Johones a minnau'n iste wrth y tân, hedd a thangnefedd yn teyrnasu a'r ddau ohonon ni yn gwrando ar raglen hyfryd Henri Hôl ar y radio fe fydde Jôns yn dod mewn i nôl 'i styden a'i dei a'i goler o ddrôr y ford.

Fe fydde'r wraig a finne, wedi i Jôns fynd mâs, yn ailorffwys ar y sgiw, ac yn ailafel ar berle cerddorol Mistyr Hôl a'i fand. Ond yn sydyn fe fydde Jôns yn dod nôl wedyn i dwrio yn y drôr am 'i gyfflincs, a whilo yn y cwpwrth am 'i lyfyr emyne. A felna odd hi arnon ni.

Nawr, dodd 'na fowr o annibynieth yn bodoli fanna, odd e nawr? Mwy o anniben-dod, weden i. Ac wrth edrych nôl, wrth edrych dros ysgwydd y blynyddodd, fel petai, wrth edrych dros y brynie pell, chwedl yr hen Bant, fe fydde'n well petai'r wraig a finne wedi symud lawr i gyfeiriad Clarach lle'r odd dwy ne dair ogof wag. Fe allen ni fod wedi byw fan'ny heb i'r un Jôns y Ffish a'i short darfu arnon ni. A fe fydde hynny wedi bod yn iawn nes i ni gâl lle bach o well, 'yn bydde fe?

Nawr, rodd y Sais wrth gynnig Cynulliad i ni run peth yn gywir â Jôns y Ffish. "Os wyt ti am gâl senedd yng Nghymru, fe gei di un", medde'r Sais. "O, cei, fe gei di senedd. Ond cofia di mai fi fydd yn gofalu am y pres, fi fydd yn dal llinynne'r pwrs. A fe fydda i'n galw mewn i dy weld ti bob dydd i gâl gweld beth wyt ti wedi bod yn 'i neud."

Rodd byw 'da Jôns y Ffish fel byw gyda rhyw fam-yng-nghyfreth fowr. A dyna beth yw'r Sais, hen fam-yng-nghyfreth fowr sy'n gwrthod gadel llonydd i ni fyw 'yn bywyd 'yn hunen.

Fe ganodd Idwal Jones bennill bach un-waith i'r fam-yng-nghyfreth, ac o newid rhyw dipyn bach arno fe, wy'n meddwl y bydde fe'n cyfleu'n berffeth yr hyn sy gen i mewn golwg cyn belled ag y ma'r Llywodreth Susneg yn y cwestiwn –

Ma mam-yng-nghyfreth yn tŷ ni –
Mi ganaf gân o hyd;
A'r gân fach honno ydyw, 'Beth

Sydd imi yn y byd?'
Newidiwn dôn ped âi i ffwrdd
Rhyw fore yn yr ha' –
'Ta-ta am byth! Ta-ta am byth!
Am byth, am byth, ta-ta.

Nawr, peidiwch â 'nghamddeall i, rodd byw 'da'r fam-yng-nghyfreth, 'da Jôns y Ffish yn well na dim. A fe fydde Cynulliad bach yng Nghardydd yn well na chic yn 'ych tîn. Ond Senedd Jôns y Ffish fydde hi wedi'r wedi'r cwbwl. A fe fydde byw mewn ogof yn yn well na byw ar drugaredd Jôns y Ffish ne'r fam-yng-nghyfreth Susneg.

"Anrhydedda dy dad a'th fam-yng-nghyfreth", medde rhyw hen barodi. Ond fe fydde'n well 'da fi weud fel hyn am lywodreth Loeger,

Lucy Ann Todd,
The biggest whore that ever trod,
And you young men, with love of honour,
Pull down your pants, and shit upon her.

Twyll Dyn a Diffuantrwydd

Pan ŷch chi'n edrych ar Magi Thatshyr, a meddwl mor smart ma hi'n drychid, peidwch â châl 'ych twyllo ar yr olwg gynta. Nawr, falle'i bod hi'n fenyw smart yn allanol, â'i gwallt bach melyn, twt. Ond a yw'r fenyw'n ddiffuant? Dyna'r cwestiwn mowr, ontefe?

Chi'n gweld, cyn allwch chi brofi diffuantrwydd Magi, cyn allwch chi gâl sicrwydd bod 'i gwallt euraid hi yn lliw naturiol, rhaid mynd ati i brofi hynny. A'r unig ffordd i fod yn siwr yw tynnu'i throwser hi lawr i weld a yw pethe'n cyfateb. Ma 'na hen bennill bach sy'n gyffredin yng ngogledd Ceredigion sy'n gweud fel hyn,

Cedor aur a chedor arian,
Cedor felfed, cedor sidan,
Ond ymhlith yr holl gedorau,
Cedor flew yw'r gedor orau.

A dyna i chi'r unig ffordd i brofi diffuantrwydd Magi –tynnu'r blwmer lawr a chymharu lliw'r gwallt a lliw'r gedor. Chi'n gweld, os yw Magi'n galler 'yn twyllo ni ynglŷn â lliw'i gwallt, shwt all hi fod yn onest ar faterion erill? Ma hen ddihareb sy'n gweud fel hyn,

Tri pheth sy'n anodd nabod –
Dyn, derwen a diwrnod,
Ma'r dydd yn hir, y pren yn gau
A dyn yn ddau wynebog.

Ma "dyn" fanna yn golygu menyw hefyd, wrth gwrs –yn arbennig menyw– a hynny o gyfnod Deleila mlân hyd heddi.

Edrych yn iau na'i hoedran
Yw hobi merch ym mhobman,
Ffei hoeden falch â'i phowdwr
A'i dull gau o dwyllo gŵr.

Dyna i chi'r wraig honno, Rosemary Howe Smith, Rôs Cotej, Gwdic, gwraig dal, fain gyda gwallt bach melyn â bwlyn tu ôl a choese deryn du, a'r rheiny'n gam. Hynny yw, preifets mewn cromfache.

Rodd Rosemary yn feirniad cŵn enwog iawn, ond 'i gwendid mowr hi odd 'i bod hi'n yfed wisgi'n ofnadw, a mynd yn dablen. A nawr, rodd sioe gŵn lawr yn y pentre a rodd rhyw fɵi o Cei Newydd wedi dod â labrador 'dag e, a hwnnw'n fedale a rhybane i gyd. Rodd e wedi ennill mewn shows ym mhob man, hyd yn o'd yn Cryffts.

Dyma fe'n rhoi'r labrador mowr du 'ma ar y fainc fan'ny, a dyma Rosemary Howe Smith, yn dablen fowr, yn feddw dwll yn cydio yng ngheille'r ci du a'u twisto nhw nes odd yr hen gi yn mynd ar asgwrn 'i gefen mewn poen.

"Ai hêt blac dogs," mynte hi, "get him owt of mai sait."

Ac yn lle rhoi'r preis i'r ci 'ma odd â shwt bedigri da, dyma hi'n rhoi'r preis i ryw hen fwngrel odd 'da'i shoffyr hi.

Dew, 'na i chi dwyll, 'na i chi feirniad, ontefe? Rwy'n bwriadu mynd ati i sgrifennu drama fowr ar y thema 'ma o dwyll, ond dim ond y teitl wy wedi sgrifennu hyd 'ma, sef *Twyll Dyn*. Darllen y bardd mowr 'ny, John Milton nath 'yn ysbrydoli i. Chi'n gweld, pan briododd e, fe sgrifennodd Milton *Paradise Lost*. Ond pan fuodd rhen fenyw 'i wraig e farw, fe sgrifennodd e *Paradise Regained*. Ond fe fydd *Twyll Dyn*, pan fydda i wedi dod i ben â'i sgrifennu hi, yn fwy o ddrama na'r ddwy 'na 'da'i gilydd.

Chi'n gweld, ma diffuantrwydd yn hollol grôs i dwyll. A ma diffuantrwydd yn nodwedd fowr mewn rhywun. Dyna i chi'r stori fach 'ny am Mari Gorrig, menyw fach ffein, menyw fach gwbwl ddiffuant. Un dwrnod dyma'r ficer yn galw a gofyn i Mari a fydde hi mor garedig â rhoi 'chydig o arian at yr eglws.

"Dewch mewn, ficer," mynte Mari'n groesawgar. "Arhoswch fanna, fe a i lan i'r lofft nawr i ofyn i John."

Fan'ny odd John, yn gorwedd yn 'i wely, yn rhy bwdwr i godi. A dyma Mari'n gofyn iddo fe, yn ddigon neis,

"John, ma'r ficer lawr y stâr yn gofyn a ŷn ni'n rhoi rhwbeth bach at yr eglws."

"Gwêd wrth y diawl nag wy'n rhoi ffyc ôl," mynte John, cyn troi a mynd nôl i gysgu. A dyma Mari yn mynd nôl at y ficer, a gweud wrtho fe'n neis,

"Na, ficer. Ma John yn gweud nag yw e'n rhoi ffyc ôl."

Ie, diffuantrwydd, ontefe. A phrofodd neb bwysigrwydd diffuantrwydd yn well, yn fwy effeithiol, na go' mowr Pontshân. Rodd hi wedi bod yn haf sych iawn, a dyma bobol Pontshân yn penderfynu mynd lan i'r mynydd i weddïo am law. A dyma nhw i gyd yn mynd, y menywod yn 'u ffrogie haf a'r dynion yn 'u cryse main. Ond fe wisgodd y go' mowr 'i got slic a'i legins a fe ath â'i ymbrela gydag e dan 'i gesel.

Fe ath y menywod, yn 'u ffrogie haf, ar 'u glinie i weddïo am law. Dim yn digwydd. Dyma'r dynion, yn 'u cryse main yn plygu i weddïo. Dim ymateb. Ond pan benliniodd y go' mowr, dyma fellten, dyma dwrw a dyma'r glaw yn disgyn. Pawb ond y go' yn glychu at 'u crwyn.

Chi'n gweld, pan fyddwch chi'n gweddïo ma'n bwysig i chi fynd â'r cit iawn gyda chi. Rodd y go' mowr, yn 'i got slic, 'i legins a'i ymbrela yn barod. Rodd gydag e ffydd, rodd e'n ddiffuant yn 'i weddïo. Rodd y go' yn gwbod y bydde'r Brenin Mowr yn gwrando ar 'i weddi fe.

Hynny yw, rodd y lleill, yn 'u dillad haf, yn brin o ffydd. Own nhw ddim yn ddiffuant. Dodd Duw ddim yn mynd i wrando ar bobol felna, odd e nawr? Ond rodd y go' yn barod, rodd e wedi paratoi. A falle bod y go' yn gwbod am y pennill bach 'ny,

Ofer ydyw saethu seren,
Ofer golchi traed hwyaden,
Ofer ydyw, cofia'r ddameg,
Iro tor yr hwch â bloneg.

Odi, ma diffuantrwydd yn beth mowr. Wy'n cofio darllen llyfyr Saunders Lewis ar Bantycelyn. Llyfyr diddorol iawn, ond llyfyr anodd. Own i'n treulo wthnos gyfan yn darllen bwyti hanner pennod. Ond diawch, odd e'n werth pob mynud.

Dim ond gwir fardd all fynegi'i deimlade, mynte Saunders. Ma pawb yn teimlo weithe fel rhoi cynnig arni i fynegi'i deimlade. Ond rodd hyd yn o'd Pantycelyn yn 'i châl hi'n anodd ar adege i neud hynny. Fe wedodd yn 'Theomemphus',

Ac ni alla'i fyth fynegi,
Pe anturiwn tra bwy byw,
Pa mor hyfryd, pa mor felys,
Pa mor fawr Ei gariad yw.

Dyna i chi weud mowr. Pan ma dyn bach cyffredin yn treio mynegi'i deimlade, ma fe'n saff o neud annibendod. A fe wedodd boi mor fowr â Pantycelyn, "ond methu 'rwyf." Ac os odd e'n methu, pa obeth sy 'na i gryduried bach fel ni?

Ar wahân i'r bardd a'r llenor, yr artist a'r cerddor, ac ambell i eithriad fel y go' mowr a Mari Gorrig, mae'n debyg ma'r unig un sy'n gwbwl ddiffuant, yn gwbwl onest, yn gwbwl naturiol yw'r plentyn. Dyna i chi'r crwt bach 'ny odd â'i dad yn gwitho yn y gwaith glo yn gweud wrth 'i fam,

"Mam," mynte fe, "wy'n mynd i gwrdd â nhad o'r pwll."

"Paid mynd," mynte'r fam, "do's dim pwynt i ti fynd. Fe fydd pawb sy'n dod lan o'r pwll yn ddu. Wnei di byth nabod dy dad."

"Wy'n mynd," mynte'r plentyn. "Os na fydda i'n 'i nabod e, fe fydd e yn 'y nabod i."

Yr hyn sy'n debyg o roi'r prawf mwya ar 'ych diffuantrwydd chi yw temtasiwn. Faint o Gymry da sy wedi cwmpo i'r trap o werthu'u hegwyddorion am swydd ne' anrhydedd? Ond y dyn sy'n galler gwrthod temtasiyne yw'r dyn mowr, dyn sy'n rhoi egwyddor o flân elw a dod mlân yn y byd.

Dyna i chi John Jones. Blaenor parchus odd John Jones. Un nosweth ar 'i ffordd i'r capel, i'r cwrdd whech, fe gath John Jones brofiad. A thrw gydol y bregeth fe fuodd y peth yn gwasgu ar 'i feddwl e.

Wedi'r oedfa, dyma'r pregethwr yn gofyn i'r blaenoried am weud gair bach am yr oedfa, gair bach o brofiad, gair bach o eglurhad, ontefe. A dyma fe'n pointo gynta at John Jones. A dyma John Jones yn ufuddhau, yn codi lan a dechre siarad,

"Wel," mynte John Jones, "ie, hyfryd iawn, ontefe, peraidd iawn. Ma hi'n fraint câl cyfle i weud gair bach fel hyn. Ma'n parchus weinidog wedi traddodi pregeth ardderchog i ni heno. Rodd e'n sôn yn 'i bregeth am y temtasiyne ma sy'n y byd, y temtasiyne mowr ma sy'n dod i'n rhan ni i gyd rywbryd ne'i gilydd. Gyfeillion, fe gês i brofiad mawr, temtasiwn fawr, a hynny heno ddwetha ar y ffordd i'r cwrdd whech ma. Fe weles i ferch wrth ymyl y ffordd, ac nid yn unig fe weles i ferch, ond rodd y ferch honno, gyfeillion . . . hmmmm . . . yn noeth. Hynny yw, rodd y ferch ma'n noethlymun; rodd hi'n borcen. A dyna pan ddath y diafol ata i. 'Manteisia ar y cyfle, John Jones,' mynte fe wrtha i, 'cer mlân, John Jones, falle na chei di mo'r cyfle ma byth eto. Cer mlân, manteisia arni, fydd neb arall yn gwbod.' Ond wyddoch chi, gyfeillion, ma'n dda calon 'da fi ddweud wrthoch chi 'mod i wedi magu digon o nerth i weud wrth y diafol, 'Manteisia arni dy hunan, y diawl'."

Odd, rodd John Jones yn ddiffuant, a ma dyn ddiffuant yn gwbod 'i bethe, yn gwbod 'i seis, ond yw e? Dyna i chi hen wraig mamgu, Ruth Mynachlog. Fe gês i'n magu 'da hi, chi'n gweld. Rodd hi'n wraig grefyddol iawn, yn hyddysg yn y pethe.

Bob tro yr awn i i'r capel fe fydde'n rhaid i fi fynd nôl ati i sôn am y bregeth. A fe fydde'n rhaid i fi gofio darne o'r bregeth, a'r testun, yn bennod ac adnod.

Fe fydde hi'n gofyn i fi wedyn droi at y Beibl a darllen rhan 'no fe iddi. Nawr, fe fydde rhai pobol, am nad odd hi'n galler

darllen na sillafu yn 'i galw hi'n anllythrennog. Ond mater o farn odd hynny. Beth bynnag, ar ôl darllen iddi am sbel fe fyddwn i'n câl llond bol ar yr ysgrythur, a fe fyddwn i'n câl hwyl, yn tynnu'i chôs hi wrth greu adnode newydd. Fe fyddwn i'n gweud fel hyn,

"Rhowch i mi fy mhib a 'maco."

Ond fedrwn i byth 'i thwyllo hi. Fe fydde hi'n deall ar unweth beth own i'n 'i neud.

"Bachan ofnadw," fydde hi'n weud, "dyw hwnna ddim yn y Beibl."

'Mlân y byddwn i'n mynd wedyn; darllen yn iawn nawr, wrth gwrs. Ond mewn sbel fe fyddwn i'n rhoi cynnig arall arni,

"Na roddwch fwyd cloddiwr i deiliwr, rhag iddo ymgryfhau a thorri'r edau."

"Eirwyn, paid rhyfygu!"

Dyna be fyddwn i'n 'i gâl 'da'i wedyn. Wâth sawl tro y rhown i gynnig ar 'i thwyllo hi, fe fydde hi'n gweld trwydda i bob tro.

Fe sgrifennodd mamgu, sef Ruth Mynachlog, 'i hatgofion pan odd hi'n bedwar ugen a thair, a fe'u cyhoeddwd nhw gan Wasg Gomer o dan y teitl *Atgofion Ruth Mynachlog* yn 1939. Wy'n cofio treulo orie wrth 'i gwely hi tra bydde hi'n adrodd 'i hatgofion a finne'n 'u cofnodi nhw. Swllt a whech odd y llyfyr bach yn gosto, a rown i'n câl copie i werthu adre am swllt. Tamed bach o lyfyr yw e, ond i fi ma fe'n werthfawr iawn.

Fe ath mamgu i weitho ar ffarm pan odd hi'n wyth a hanner o'd. Fe fuodd hi'n gneud pethe fel gwlana, ac rodd hi'n cofio am 'i thad yn mynd i'r fedel yn Shir Henffordd. Ma hi'n sôn yn 'i hatgofion wedyn am Rhys Etna Jones, mab Felin Crugyreryr a ath mâs i America. Fe adroddodd 'i brofiade yn yr emyn 'ma,

Rhodio'r wyf ar lan yr afon
Mewn unigedd, Iesu mawr;
Mae cyfeillion gorau'r ddaear
Arnai'n cefnu i gyd yn awr;
Chlywa'i ddim ond sŵn y tonnau,
Wela'i ddim ond llwybrau'r bedd;
Saif pechodau duon bywyd
Rhyngwyf fi a gweld dy wedd.
O! dywyllwch dua 'rioed,
Ble caf yma roi fy nhroed?

Ie, diffuantrwydd. Dyna'r peth. A fel hyn y gorffennodd hen wraig mamgu 'i hatgofion,

"Gallwn, fe allwn fynd ymlaen â'm hatgofion yn ddi-dor, ond ddarllennydd mwyn, pa ddiddordeb iti sydd yn nigwyddiadau bywyd hen wraig ddi-nod?

Ffarwel i ti, a gobeithiaf y cei dithau, fel finnau, yn dy hen ddyddiau a'th lesgedd fwynhad wrth edrych yn ôl ar bethau gorau dy fywyd fel y teimli, ar waethaf dy ddiffygion, na threuliaist hwy yn hollol ofer."

YR HIL ANNYNOL

Pan greodd Duw y byd fe ath ati hefyd i greu dyn. Fe ath mlân wedyn i greu gwraig, a dyna ddechre cenhedlodd, ontefe, ac fe roddodd ieithodd iddyn nhw. Whare teg i Dduw, ontefe, hen foi ffein. Ond myn diawl i, fe nath e fistêc mowr pan greodd e Sais.

A nawr i chi, erbyn hyn, wy'n siwr bod Duw wedi dyfaru. Odi, ma fe wedi dyfaru gwallt 'i ben iddo fe eriôd greu'r fath flagard. Ma Duw wedi sylweddoli, chweld, bod twist yng nghynffon y diawl.

Ma'r Sais yn credu'n gydwybodol 'i fod e wedi whare rhan ddwyfol yng ngwareiddiad y byd, ond ble bynnag ma fe wedi bod, ma fe wedi gadel mochyndra ar 'i ôl. Pan own i'n grwt rown i'n arfer whare gêm fach cwestiwn ac ateb. Un o'r cwestiyne fyddwn i'n arfer 'i ofyn odd,

"Beth sy'n tra rhagori ar dwll tîn?"
Yr ateb odd, "Ei pherarogl."
Ond ma modd addasu'r peth, ond o's e, trw ofyn fel hyn,

"Beth sy'n tra rhagori ar y Sais?"
A'r ateb yw, "Ei ddrewdod e."
Odi, ma fe'n ddigon gwir, yr unig wahanieth rhwng Sais a llond whilber o gachu yw y whilber.

Meddyliwch am gyfnod yr hen Fictoria. Fe fuodd hi'n teyrnasu am rhyw drigen mlynedd, ond yn ystod 'i theyrnasiad hi fe ymladdodd y Suson drigen a deg o ryfelodd.

"And the British Army fought hard against severe odds," Dyna'r math o adroddiade 'dŷn ni'n gâl yn y llyfre hanes. Ie, y Sais yn lladd blacs yn Affrica. Jon Bwl a'i ddryllie mowr yn ymladd yn erbyn picelli. A phwy hawl odd 'dag e i fod 'na yn y lle cynta?

Broliant un hen gofiannydd odd, *"We saved India for Christ."* A Chymru fach, druan â hi, yn codi cenhadon a'u hala nhw mâs i Affrica a India i bregethu efengyl Iesu Grist tra rodd y diawl Seisnig 'na a'i ddryllie mowr yn saethu pawb. Fe fuodd un Sais yn ddigon gonest i weud,

"We got India by the bayonet, and by the bayonet we'll hold her."

Rodd Llywelyn Williams yn llygad 'i le pan ganodd e'n gynnar yn y dauddege,

Daw terfyn ar fawredd cenhedloedd
A llwyddiant anfoesgar y Sais,
Daw dydd pan na chwifia ei faner
Ar diroedd enillodd drwy drais.

Ma'r geire 'na yn dod yn wir heddi, a ma'r hen Sais yn cal cic yn 'i dîn mâs o wlad ar ôl gwlad. Chi'n gweld, ma'r dyn du wedi gweld trw'r mochyndra 'ma.

Lai na chan mlynedd yn ôl rodd y Suson yn marchnata mewn caethweision. Ac rodd naw deg y cant o'r farchnad 'ma yn mynd trw Bryste a Lerpwl. Ie, Lerpwl o bobman. Disgynyddion y diawled 'ny nath foddi Tryweryn.

Am ganrifodd ma pawb wedi rhedeg yn 'u lle nhw, y nhw yn rhoi'r gorchmynion a phobol erill yn gorffod rhedeg ar 'u rhan nhw.

Dew, 'na falch odd Magi Thatshyr fod bois Ariannin 'na wedi meddiannu'r Ffyclands. Fe gath hi gyfle wedyn i ddangos pwy odd y bos. Yr hen Fictoria wedi dod nôl, yr hen Fritannia fowr wedi atgyfodi. Rodd hi'n gwbod yn iawn y galle hi roi cosfa i wlad fel Ariannin. Ond beth petai Rwsia fowr ne'r Iancs wedi meddiannu'r Ffyclands, beth wedyn? Chi'n meddwl y bydde hi wedi hala'i llonge rhyfel 'na wedyn? Dim shwt beth.

Ond yr unig beth nath Ariannin odd gneud be ma'r Sais wedi bod yn 'i neud ar hyd y canrifodd –meddiannu tir. Y gwahanieth fan hyn odd ma'r Ariannin sy bia'r Ffyclands, ne' o leia ma gyda nhw fwy o hawl arnyn nhw na Magi.

Ma hi'n fwy anodd i'r Sais feddiannu gwledydd trw rym y dyddie hyn. Y ffordd ore nawr yw ennill tir yn slei bach, trw ddod 'ma i gefen gwlad Cymru i'n dysgu ni shwt ma byw. Wy'n cofio'n dda am Mistyr Bigyls yn dod i'r ardal i ddysgu'r blydi Welsh shwt odd ffarmo. Iconomi, dyna odd 'i air mowr e. A be nath e odd adeiladu twlc mochyn mâs o botie jam i gyd.

Fe fues i gydag e yn gweld y twlc, fel mae'n digwydd bod. Diawch eriôd, rodd yr hen fochyn yn whysu'n drabwd, odd e'n whysu cymint fel 'i fod e bron iawn yn rhy wan i rochian. A sôn am y Bîtyls; dodd rheiny ddim yndi. Rodd 'na gerddorieth fowr 'no, a'r gerddorieth odd yr unig beth odd yn cynnal y mochyn. Rodd y cachgi bwm, hynny yw, y cachgwn a'r gwenyn wedi mynd mewn i'r potie jam ac yn ffaelu dod mâs. A dyna lle'r own nhw'n canu.

Dew, tai'r mochyn 'na'n gerddor fe fydde wedi canu'r Bumed Symffoni. Wir i chi, fe gane alawon, a fe fydde'r bardd mowr 'ny, Dyfed, yn galler gweud wrth y mochyn,

Cenwch hen alawon Cymru
Nes gwefreiddio calon byd;
Dysgwch i'r cenhedloedd ganu,
Môr o gân yw Cymru i gyd.

Dyfais fowr arall o waith Mistyr Bigyls odd yr Hen Sbectacyls, hynny yw, sbectole i ieir. Rhai bach plastic, coch own nhw yn ffito dros drwyn yr iâr, rhyw bethe bach digon tebyg i'r hanner-sbectol 'na sy mor ffasiynol y dyddie hyn, yr hen sbectol fach 'na ma pobol bwysig yn 'u gwisgo, ddim er mwyn edrych drwyddyn nhw ond er mwyn edrych drostyn nhw.

Ond pwrpas yr Hen Sbectacyls 'ma odd stopo'r iâr rhag gweld o gwbwl. Syniad Mistyr Bigyls odd hyn. Os nag odd y geir yn galler gweld 'u gilydd allen nhw ddim ymosod ar 'u gilydd. Esboniad Mistyr Bigyls i fi odd,

"They prevent cannibalism."

Ie, atal canibalieth. A fuodd 'na eriod fwy o ganibal na'r Sais 'i hunan.

Fe weles i'r Hen Sbectacyls 'ma'n gweitho. Ar ôl i Mistyr Bigyls 'u ffito nhw ar drwyn yr iâr rodd yr hen greadures yn camu'n fras ar hyd y clos, yn ffaelu'n lân â gweld dros y sbectol fach goch 'ma. Pan fyddai'n rhoi cynnig ar ymosod ar iâr arall, fe fydde'r sbectol yn 'i dallu hi a fe fydde hi'n rhuthro'n blet mewn i ryw dwll yn y wal. Diawl, rhyw sbectol felna sydd 'i ise ar Magi Thatshyr!

A dyna'r Sais i chi. Y byd materol yw'r cwbwl 'dag e. 'I weddi fowr e yw,

"Os ro i bunt lawr, wy'n moyn teirpunt nôl."

Popeth yn iawn. Do's dim byd o'i le mewn cyfalafieth iach. Ond beth ma fe'n 'i neud â'r elw? Cynorthwyo'r anghenus? Dim shwt beth. Stwffo'i fola'i hunan ma fe.

Wy'n cofio amdana i un bore dydd Sadwrn. Dodd gen i ddim arian i'r wraig fynd mâs i siopa. Nawr rodd ar rai pobol arian i fi am wahanol jobs, ontefe, a mâs a fi nawr i dreial câl tipyn bach o'r ddyled 'ma mâs 'ny nhw.

Ond dim lwc. Galw mewn un lle, dim ateb. Galw mewn lle arall, dim llyfyr tshec. Galw mewn lle arall wedyn, gweld y cyrten yn symud a rhyw ben bach yn pipo mâs, ond neb yn dod i'r drws.

Dyma fynd adre'n ddiflas, yn waglaw. Wel, myntwn i, dyna fe. A dyma fi'n cydio yn y llif, yn mynd draw i'r câ fan'ny a chwmpo dwy onnen. Wedyn fe lifes i nhw'n flocs côd tân.

Fe llwythes i nhw ar y lori fach, a bant â fi i'w gwerthu nhw am ddou swllt y bag. Erbyn pump o'r gloch rodd gen i bumpunt. Nawr, rodd y demtasiwn yn gryf i brynu peint a paced o ffags. Ond na. Adre â fi i'r tŷ, a dyma'r wraig yn gofyn am arian i fynd i'r siop.

"Na," myntwn i, "ma cig moch o dan y llofft a ma digon o datw yn yr ardd. Fe neith rheiny'r tro i gino dydd Sul."

Dim bod ise cino arna i. Dwy' ddim yn ddyn stymogus. Yn y Steddfod Genedlaethol fe a i heb fwyd am wthnos. A gweud y gwir, 'y mrecwast i yn y Steddfod bob bore yw wâc rownd y ford, pwl o beswch a phlated o ffyc ôl.

Beth bynnag, bore dydd Llun rodd y bumpunt yn gyfan yn 'y mhoced i, a dyma fi draw i Bant y Bryn i brynu gwerth pumpunt o gôd lartsh. Dyma fynd adre â nhw a'u llifo nhw, a erbyn dydd Iau rown i wedi gweitho iete a shede mâs 'ny nhw. Erbyn nos Iau rodd gen i hanner canpunt.

Nawr, tawn i wedi gwario'r bumpunt gynta 'na ar gwrw a ffags, ne' ar fwyd, fyddwn i'r un man nos Iau ag own i bore Sadwrn.

Ma'r stori fach 'na yn profi rhwbeth, ond yw hi? Fe wnes i elw, ac yn ôl y Sosialwyr ma hynny'n bechod. Cyfalafieth, ontefe. Ond gneud yr arian er mwyn cynnal y teulu own i. Cadw dy afraid erbyn dy raid, medde rhywun. Rodd yr hyn a wnes i 'n dipyn o geidwadaeth. Ond nid ceidwadaeth imperialaidd Seisnig odd e, ond chydig o imperialeth Gymreig.

"Tâl dy ffordd wrth fynd," medde'r Cymro. "Os na fedri, paid â mynd." Hynny yw, ma'n well mynd i'r gwely heb swper na deffro mewn dyled. Ma'r Sais yn wahanol. Anthem fowr y Sais yw,

We are God's chosen few,
All others will be damned,
There is no room for you in heaven,
We can't have heaven crammed.

Ond ma'r Cymro da yn canu'n wahanol,

Rhanna dy bethau gorau,
Rhanna a thi yn dlawd,
Rhanna dy wên a'th gariad,
Rhanna dy bopeth, frawd,
Rhyw nefoedd fach fydd nef yr un
A geidw'i nefoedd iddo'i hun.

Yr un thema odd 'da Ieuan Brydydd Hir, y gŵr mowr 'ny o Ystrad Meurig pan ganodd e,

Agor dy drysor, dod ran –trwy gallwedd
Tra gellych i'r truan,

Gwell rhyw awr golli'r arian
Na chau'r god a nychu'r gwan.

Dyn hunanol fuodd y Sais eriôd. Ma 'na hanesyn bach am Sais wedi prynu tyddyn odd â llwybyr yn mynd trw'i dir. Dyma hen ŵr bach, odd wedi troedio'r llwybyr 'ma ar hyd 'i oes, yn mynd am dro ar hyd-ddo fe. Ond dyma'r Sais yn 'i weld e, a gweud wrtho fe,

"Rwyt ti'n tresmasu."

"Popeth yn iawn," mynte'r hen ŵr, "fe a i nôl."

"O, na," mynte'r Sais. "Fi pia mlân a nôl."

Mor wahanol odd Eifion Wyn, ontefe, pan ganodd e,

Caraf fy ngwlad a charaf fy iaith,
Caraf fy nghenedl, dyna'r ffaith.
Arnat ti, Gymru fach, mae'r bai
Na fyddwn yn dy garu di'n llawer llai.

Caraf dy ddyffrynnoedd di, Gymru wen,
Caraf dy fynyddoedd, sy'n uwch na 'mhen;
Caraf dy nef a'th fôr a'th dir,
Caraf di bob modfedd, dyna'r gwir.

Ond yn wahanol i'r cenedlaetholwr o Sais, dodd Eifion Wyn, wrth garu'i wlad, ddim yn anghofio gweddill y byd, ddim yn anghofio cenhedlodd erill,

"Ni charaf ronyn yn llai arnynt hwy
Am fy mod yn caru Cymru'n fwy."

Na, do's 'da'r Sais ddim parch i unrhyw-beth y tu fâs i'w fyd bach cyfyng 'i hunan. Dim ond un ffordd ma fe'n weld. Ma'i ben e wedi'i seto fel ci tsheina. Ma un yn tŷ ni, â'i ben bach e ar dro yn drychid i'r cornel fan'ny. Ambell waith ma'r wraig yn câl digon ar 'i weld e, a ma hi'n gweud wrtha i,

"Trowch 'i ben e."

Ond do's dim modd. Ma'i ben e wedi seto un ffordd, a felny ma fe'n aros. A felny ma'r Sais. Newch chi ddim byd ag e. Yr unig ffordd yw gadel iddo fe fod am sbel fach, hynny yw, rhoi digon o raff iddo fe. A wedyn fe grogith 'i hunan.

Dyna ddigwyddodd i'r Sais enwog hwnnw, Capten Webb. Fe, os cofiwch chi, odd y boi cynta i nofio'r tshanel, o Dofyr i Calei. Ond ar ôl iddo fe neud hynny fe gredodd 'i fod e'n foi mwy nag odd e. Rodd pawb, chweld, yn hwpo i'w ben e 'i fod e'n yffarn o foi. A dyma'r Capten yn cyhoeddi ma'i gamp fowr nesa fe fydde nofio'r rapids wrth ben y Naiagra Ffôls. Fe ath, ond mi foddodd. A ma rhigwm bach Susneg yn cofnodi'r digwyddiad,

Capten Webb lost his leg
In ddy Naiagra Ffôls,
Hi bympd his coc agenst e roc
And e ffish ran awey widd his bôls.

Ie, digon o raff yw'r ateb. A ma hynny'n wir am Magi Thatshyr. Rhyw ddwrnod ma hi'n mynd i gymryd un cam yn ormod, a dyna fydd 'i diwedd hi. Hyd nes y digwydd hynny gadewch i ni oll gyd-ganu o Lawlyfr Moliant Undeb y Tancwyr yr emyn mowr hwnnw,

O claddwch Magi Thatshyr
Naw troedfedd yn y baw,
A rhoddwch arni ddeunydd
O ffrwyth y gaib a rhaw;

A rhoddwch arni feini,
A'r rheiny oll dan sêl,
Rhag ofn i'r diawl gyfodi
A phoeni'r oes a ddêl.

Pan greodd Duw y dyn cynta, dyma Duw yn gweud wrtho fe,

"Adda machgen i, wy'n rhoi bywyd i ti,

wy'n rhoi anadl yndo ti. Wedyn, Adda, 'y machgen mowr i, fe gei di waith gen i, fe gei di gwteri i'w cwtero, fe gei di gloddie i'w cloddio, a fe gei di lafurio nes byddi di'n llesg a gwargam. A phan fyddi di'n hen a methedig, fe gei di farw."

Diawl, 'na i chi dderyn yw Duw, 'na i chi gysur odd e'n roi i Adda, ontefe? A wyddech chi, pan ma Duw yn mynd ati i greu dynion, wy'n meddwl amdano fe fel rhyw fecer mowr, rhyw bobydd dwyfol a chanddo fe ffwrn fowr. Ma Duw yn mowldio dynion a'u hwpo nhw mewn i'r ffwrn. Wedyn, pan fydd e'n meddwl 'i bod nhw wedi crasu digon ma fe'n 'u tynnu nhw mâs o'r ffwrn a rhoi'i fys ar 'u bolie nhw i weld ŷn nhw'n barod. A dyna beth yw bogel, ôl bys Duw.

Swyddogeth y bogel, wrth gwrs, yw dal yr halen pan fyddwch chi'n byta tships yn y gwely.

Beth bynnag, awn ymlaen, fel petai. Fe wedodd Cynan rwbeth fel hyn yn 'i bryddest fowr, 'Mab y Bwthyn',

Duw ydyw awdur popeth hardd,
Efe yw'r unig berffaith fardd.
Onid ei delynegion O
Yw'r coed a'r nant, a phlant y fro?
Onid oes un o awdlau'r Ior
Ar gynganeddion tonnau'r môr,
A llawer hir-a-thoddaid tlws
Yn sŵn y gwynt o dan y drws?

Nawr, falle bod Cynan yn iawn. Falle ma Duw yw awdur popeth hardd. Ond, myn yffarn i, fe ath Duw'n wan pan greodd e Sais.

GWALIA A'R FRYTHONEG

Fe ofynnodd rhywun gwestiwn od i fi unwaith. Mewn tafarn own i, a dyma'r boi 'ma'n dod lan ata i a gofyn i fi, yn ddigon ddiffuant,

"Gwedwch wrtho i," mynte fe, "ai dyn wedi'ch achub ŷch chi, ne' Welsh Nashen-al-ist ŷch chi?"

Dew, 'na i chi gwestiwn mowr, ontefe? Ond fe gês i wedyn gyfle i esbonio'n safbwynt, i weud y gwahanieth wrth y dyn 'ma rhwng Welsh Nashon-al-ist, hynny yw, rhwng cenedlaetholwr o Gymro a rhywun fel y Pentecostal ne'r Jehofa, sy'n credu 'u bod nhw wedi'u hachub.

All dim un Cymro beidio â bod yn genedlaetholwr heddi. Rodd Samiwel Jonson yn genedlaetholwr, ond cenedlaetholwr o Sais odd e. Eto i gyd, fe wedodd Jonson beth mowr iawn unwaith.

"Ma'n ddrwg iawn gen i weld unrhyw iaith yn marw", mynte fe, "gan taw ieithoedd yw pedigri cenhedloedd."

'Na i chi weud mowr, ontefe, 'na i chi ddatganiad pwysig. A rodd Jonson yn llygad 'i le. Ond lle 'dŷn ni yng Nghymru yn sefyll? Os taw iaith yw pedigri cenedl o fwngrels ŷn ni, cenedl o gachgwn.

A ma'r cwbwl yn mynd nôl i gyfnod Dewi Sant, chweld, bwyti'r wheched ganrif fforna. Nawr, falle byddwch chi'n synnu pan weda i hyn wrthoch chi, ond cachgi odd Dewi Sant.

Ma gen i bob parch i Dewi Sant. Peidiwch â 'nghamddeall i, mae'n debyg bod Dewi yn hen foi digon ffein yn y bôn. Ond diawl, fe gollodd e gyfle mowr. Chweld, tase Dewi Sant wedi bod yn llai o sant ag yn fwy o flagard fydde ni ddim mewn cymint o bicil heddi fel cenedl.

Ond pam wy'n galw Dewi'n gachgi, medde chi? Wel, fe fydde gair bach o eglurhad yn burion peth. Un dwrnod odd y mynach bach wrthi'n pysgota ar lan yr afon, a Dewi yn drychid arno fe. Popeth yn dawel, popeth yn hyfryd, hedd a thangnefedd yn teyrnasu.

Yn ddisymwth dyma rhyw ddyn gwyllt yn dod mâs o'r goedwig, dyn blewog, cas; blagard mowr â blew lawr at 'i bigyrne, sef yr anwar. Hynny yw, y Sais, ontefe. Fe gath Dewi a'r mynach bach lond tîn o ofan, a dyma Dewi yn gweud wrth y mynach,

"Gad i ni gilo," mynte fe, gad i ni 'i baglu hi bant. Ma'r anwar wedi cyrradd."

A chilo neithon nhw. Ond diawl, tai Dewi wedi gweud wrth y mynach,

"Gad i ni roi cic yn nhîn y diawl, gad i ni'i belto fe, 'i dowlu fe i'r afon a'i foddi fe, yr anwar diawl ag e!"

Tai Dewi wedi towlu'r anwar diawl i'r

afon a'i foddi fe, fydde dim o'r gofid 'ma arnon ni heddi. Tai Dewi wedi dangos tipyn o gyts, tipyn o ruddin yn lle dianc, fydde'r anwar ddim gyda ni heddi yn prynu tai haf a lladd yr iaith.

Nawr, wy'n gwbod bod Dewi yn dipyn o arwr yng nghalonne'r Cymry, a wy'n gwbod 'i fod e'n hen foi ffein. Ond fe ath e'n wan wrth ddianc o flân yr anwar. Tai e wedi sefyll fe fedren ni adrodd, gyda'r bardd, yr englyn hyfryd 'ma,

O, wlad fach, cofleidiaf hi –angoraf
Long fy nghariad wrthi,
Boed i foroedd byd ferwi,
Nefoedd o'i mewn fydd i mi.

Tai Dewi wedi rhoi cic yn nhîn yr anwar fe fedren ni ganu, yn gwbwl ddiffuant,

Pa wlad wedi'r siarad sydd
Mor lân â Chymru lonydd?

Ond yn lle hynny ma'n rhaid canu,

Pa wlad wedi'r siarad sydd
Mor afiach ac mor ufudd?

Fe ganodd rhyw fardd arall yn hyderus,

Os yw dydd llwy bren a llymry
Wedi dod i ben yng Nghymru,
Y mae trannoeth teg ar wawrio,
Pawb yn gydradd, neb i'n godro.

Ond rhyw ddarlun rhamantedd iawn yw hwnna. Llawer mwy addas i Gymru heddi yw'r pennill bach 'ma, sy'n dangos ma cenedl o gachgwn ŷn ni. Fel hyn ma Cymru'n canu heddi,

Rwy fel hen fuwch a'm tethe llaes,
Neu drowser ar lein ddillad,
Ond dal i dynnu ar fy mhwrs
Mae bysedd coch fy nghariad.

Ie, y fuwch yn pori yng Nghymru, ond yn câl 'i godro yn Lloeger. Fel y parodïodd Jacob Dafis gân enwog Ceiriog, ontefe,

Nant y mynydd cromiym plêted
Yn ymdroelli tua'r tap,
Ac yn sibrwd rhwng y pibau –
'Byddaf draw yn Lloeger chwap'.

Ie, brwydyr yw hi wedi bod arnon ni eriôd, bwrw'n penne yn erbyn y wal, wynebu'r brynie serth. Fel y canodd Mynyddog,

Ma ise nerth i fynd drw'r byd,
Ma ise nerth o hyd, o hyd;
Ma'r oes yn llawn o riwiau serth,
Ac ar bob rhiw ma ise nerth.

Fe fuodd cyfnod pan odd pob Sais odd yn dod i gefen gwlad yn dysgu Gwmrâg. Diawl, dodd dim diolch iddo fe, rodd yn rhaid iddo fe ne' golli mâs. Cofiwch, Gwmrâg digon lletwhith ddysgodd lot 'ny nhw, fe y boi 'ny odd wedi gneud dou beth yffernol o ddwl yn ystod yr un wthnos, sef priodi a joino'r armi. A dyna lle'r odd e ar ôl y briodas, yn yfed llond bola yn y dafarn. Ond dyma'r fam-yng-nghyfreth yn gweud wrth y ferch,

"Cer mewn ar i ôl e," mynte hi, "gwed wrtho fe am ddod adre nawr, y fynud 'ma. Dangos iddo fe o'r dechre pwy yw'r bos."

A dyma hi'n mynd, ac yn gweud wrtho fe am fynd mâs, am fynd adre. Dyma'r boi yn yfed 'i gwrw, yn rhoi 'i beint gwag ar y cownter ac yn tynnu 'i felt bant.

"Dwy peth ma fi wedi difaru neud", mynte fe wrth y bois yn y bar, "joino ddy sowldiwrs a priodi hwn."

Dyma fe wedyn yn troi at 'i wraig ac yn 'i chlatsho hi gyda'r belt a gweud wrthi,

"Un bos sy 'ma, a ni yw hon."

Rodd 'na un arall wedyn odd wrthi'n cwmpo mâs â'r wraig, a dyma fe'n gweud wrthi,

"Wyt ti'n ladronyn, wyt ti'n gelwyddyn a wyt ti'n hwryn. Wyt ti'n ladronyn am bod ti'n mynd ag arian mâs o poced i pan fydda i wedi meddwi; wyt ti'n gelwyddyn am bod ti'n gweud na êst ti dim â arian o poced fi pan wy wedi meddwi, a wyt ti'n hwryn am bod ti wedi câl bapa bach cyn priodi fi."

Ie, rhyfedd iawn, ontefe. A dyna i chi foi arall wedyn, odd e byth yn talu'r rhent. Yr hyn odd e'n neud, chweld, bob tro odd y perchennog, Miss Tomos yn dod draw i nôl y rhent odd agor 'i gopis a thynnu'i gonyn mâs.

"Paid ti â becso am y rent, Miss Tomos," mynte fe gan ddangos y conyn, "beth wyt ti'n feddwl am y boi."

A rodd y fenyw, druan, yn dianc mâs o'r tŷ nerth 'i thrâd, a heb y rhent.

Sylwoch chi hefyd shwt odd y bois 'ma yn galw "chi" ar anifel, ond "ti" ar fod dynol. Rodd 'na hen Sais yn Llanwnen yn gyrru mewn trap-a-phoni, a phwy odd ar ochor y ffordd ond ficer y plwy. Dyma'r Sais yn tynnu ar y ffrwyn ac yn stopo a gofyn i'r ficer,

"Ti'n moyn lifft 'da fi, 'chan?"

"Nadw, dim diolch," mynte'r ficer yn fonheddig, "dwi'n mynd draw ffordd hyn."

"Wel, 'te," mynte'r Sais, "bant â chi, 'te, caseg."

Fedre'r bardd byth weud am Gwmrâg hwnna,

Iaith bur fel gwlith y borau –iaith hudol
O wlithiedig flodau,
A'r awen geir yn ei gwae
Yn goron ar ei geiriau.

A ma'r awen 'ma'n beth mowr, ond yw hi? Fel odd Idwal Jones yn weud, pan ddaw'r awen heibio, rhowch y cwbwl lawr, hyd yn o'd os ŷch chi ar hanner laso'ch sgidie, hyd yn o'd os ŷch chi ar hanner bita bacwn, hyd yn o'd os yw'r tŷ ar dân. Pan ma'r awen yn dod, rhaid gadel popeth a rhoi ffrwyth yr awen lawr ar bapur, ontefe. Pan ddaw'r alwad, ma'n rhaid ufuddhau.

A ma'r un peth yn wir am Gymru. Pan ddaw'r alwad i ni fynd i'r gad, pan ddaw hi'n awr i ni fynd i'r môr, yna ma'n rhaid i ni ufuddhau. A ma 'na arwyddion o bryd i'w gilydd bod pethe'n symud. Run peth â'r crwt 'ny pan gath e godiad am y tro cynta, a ffeilu deall beth odd yn digwydd. Dyma fe'n gofyn i'w fam,

"Os asgwln yng nghoc i mam?"

Gofynnodd e, yn iaith plentyn, os odd asgwrn yn 'i goc e.

"Nag os, yr hen grwt dwl," mynte'i fam.

"Wel", mynte'r crwt, "ma wbes 'na, ta bês."

Ie, rhen grwt yn gwbod bod rhwbeth otsh i'r arfer yn digwydd, ond wydde fe ddim beth; yn gweld arwyddion yr amsere, ond yn ffeilu 'u deall nhw, ontefe.

Ond ma'n bryd i ni ddeall yr arwyddion, ma'n bryd i ni wrando ar yr alwad a mynd nôl at 'yn gwreiddie. Cofiwch beth wedodd Cynan,

Tyred yn ôl i erwau'r wlad
I dorri cwys fel cwys dy dad.

Ond fe fyddwn i'n mynd ymhellach na Cynan. Ma angen heddi am weld cynnydd ymhlith y Cymry Cwmrâg, ma angen i'r rhieni Cwmrâg genhedlu mwy, hynny yw, y neges i bob Cymro Cwmrâg sy wedi gadel Cymru yw iddo fe ddod nôl a gneud 'i ran,

Tyred yn ôl i erwau'r wlad
I fagu coc fel coc dy dad.

Rhaid i ni fod yn gadarnhaol, yn benderfynol a mynd nôl at 'yn gwreiddie sy'n ddwfwn yn y tir. Rhaid i ni neud fel y gnath John Penry,

"Cydiodd yn nau corn ei aradr, a'r ewinrhew yn cnoi'i fysedd. Trodd ei wyneb tua'r gwynt gan fwrw ei had mewn ffydd."

Ie, dyna be sy 'i angen heddi, galwad i ni i gyd i ailgydio yn y pethe sy'n bwysig. A'r cam pwysig cynta yw cofio'n bod ni'n Gymry, fel y canodd J.J. Williams,

Mae'n Gymro byth, pwy bynnag yw
A gâr ei fro ddi-nam,
Ac ni fu hwnnw'n Gymro erioed
A wadodd fro ei fam.
Er mynd yn bell o Walia wen,
A byw ohoni'n hir,
Ac er i'r gwallt claerdduaf droi
Yn wyn mewn estron dir,
Mae sôn am dad a mam
Yn mynd i'r bwthyn ar y ddôl,
A chlychau mebyd yn y glust
Yn galw, galw'n ôl.

Ond wyddoch chi, oni bai i Dewi Sant weud wrth y mynach bach am redeg bant yn lle rhoi yffarn o gic yn nhîn yr anwar 'na, fydde dim angen i fi weud y pethe hyn. Chi'n gweld, rodd Dewi, fel y gwedes i, yn ormod o sant a dim digon o flagard, a fel gwedodd Jacob Dafis,

'Chi damed gwell o ddal fel sant
Yn sêt y bws sy'n rhedeg bant.

Pan ma'r bws yn rhedeg bant ma hi'n mynd chydig bach yn hwyr yn y dydd arnon ni. D'os dim pwrpas cydio'n dynn yn sêt y bws pan bod hwnnw'n mynd fel cath i gythrel am y dibyn. Nid dyna'r amser, chwaith, i neido bant a gadel i'r bws fynd i ebargofiant. Na, ma'n rhaid dal yn dynn wrth y llyw a gwasgu ar y brêc i gâl yr hen fws 'ma o dan gontrol, o dan reoleth unwaith 'to.

Os odyn ni am wella pethe, ma'n rhaid i ni fynd at wreiddyn y drwg. Hynny yw, os o's dant yn gwinio 'da chi, tynnwch e mâs.

Mae hwnnw ran fynycha
Yn gilddant pwdwr, cas,
A'r unig ffordd i wella'r dyn
Yw tynnu'r gwreiddyn mâs.

Fe ddeallodd Prosser Rhys y peth. Fe welodd e shwt ma mynd ati i adennill chydig o hunan-barch, ond do fe? Fe sylweddolodd Prosser nad odd dianc i fod o flân yr anwar. Glynu'n glòs odd yr unig ateb. Derbyn Cymru fel rodd hi, er 'i holl wendide a'i ffaeledde.

"Iesu, cymer fi fel 'rydwyf", mynte'r emynydd. A dyna beth odd 'da Prosser mewn golwg. Fe welodd fod yn rhaid arddel Cymru yn 'i gwarth a'i gwae. A fe heriodd Prosser y rheiny sy'n wfftio, y rheiny sy'n rhoi swydd, a dod mlân yn y byd, uwchlaw popeth arall.

Ond –glynu'n glòs yw 'nhynged
Wrth Gymru fel y mae,
A dewis, er ei blynged
Arddel ei gwarth a'i gwae.
Bydd Cymru byth, waeth beth fo'i rhawd
Ym mêr fy esgyrn i a'm cnawd . . .

Ac os yw'r diwreiddiedig
A'r uchelgeisiol griw
Yn dal mai dirmygedig
Yw ple'r cymrodyr gwiw,
Deued a ddêl, rhaid i mi mwy
Sefyll neu syrthio gyda hwy.

Pan ofynnodd y boi 'ny wrtha i ai dyn wedi câl 'yn achub, ne' Welsh Nashon-al-ist own i, fe wedes wrtho fe bod y ddou beth yn wir. Odw, rwy'n Welsh Nashon-al-ist. Odw, rwy wedi'n achub. Nid câl 'yn achub 'da rhyw Bentecostal ne' Jehofa, ond câl 'yn achub 'da Cymru.

Y GYNNEDDF FORWROL

I'r bobol hynny sy'n byw ar ynys, ma'r môr yn beth mowr, yn beth pwysig, on'd yw e? A dyna drueni na fydde Cymru'n ynys. Fe fydde'n rhaid iddyn nhw hwylio 'ma, ne' nofio wedyn.

Gyda llaw, wyddoch chi shwt ma achub Sais rhag boddi? Codi'ch trôd o ben 'i wegil e. Beth bynnag, ma'r môr yn galler bod yn was da, ond yn fistir gwael. Hynny yw, mae e'n galler gwasanaethu dyn ar y naill law, a'i ladd e ar y llaw arall.

Ond beth am yr awr gawn fynd i'r môr? Hwnna yw'r cwestiwn mowr. A chyn mentro i'r môr, cyn bwrw i'r dwfwn, ma'n rhaid paratoi, chweld. Ac yn hyn o beth ma gan yr hen Noa wers i ni. Wrth adeiladu'r arch, fe weithodd Noa i'r mastyr plan. Duw odd arcitect Noa.

"Nawr te, Noa," mynte Duw, "rwy am i ti neud arch o goed y gypreswydden. Fe fydd e'n bedwar can trodfedd a hanner o hyd, yn bymtheg trodfedd a thrigen o led a phum trodfedd ar hugen o uchder. Fe fydd tri llawr iddo fe, drws a ffenest a gorchuddia fe y tu fâs â phyg."

"Iawn", mynte Noa, "fe a i ati ar unweth i adeiladu'r arch."

A dyma'r hen Noa a'i feibion, Sem, Cham a Jaffeth yn dechre ar y gwaith mowr. Ond dyma gomplicesions yn codi.

"Pwy seis yw'r drws fod, nhad? mynte Sem.

"O", mynte Noa, "cer lawr i'r goedwig ac edrych am yr eliffant mwya, a phan fydd hwnnw'n mynd rhwng dwy goeden, mesura rhyngddyn nhw, a mesura'u huchder nhw. Dyna fydd maint y drws. Ti'n gweld, Sem 'y machgen i, os gall yr eliffant mwya fynd drw'r drws fe all pob creadur arall fynd hefyd."

Dyma Sem yn mynd, a dyma fe'n gweld eliffant anferth. Fe ddilynnodd orchymyn 'i dad, a nôl ag e. Ond dodd e ddim yn berffeth hapus.

"Nhad", mynte fe, "fe nes i be wedoch chi, ond fe weles i greadur llawer talach na'r eliffant. Rodd 'dag e wddwg hir yn mystyn lan dros frige'r côd. Be 'nawn ni â hwnnw? Shwt yn y byd ma'r jiraff mowr 'na yn mynd i fynd mewn i'r arch?"

"O", mynte Noa, "paid ti gofidio, paid ti becso am hwnnw. Fe fydd yn rhaid i'r gŵr bonheddig hwnnw blygu'i ben."

Dafydd Ifans Ffynnon-henri bia'r bregeth 'na. Ond 'i bwynt mowr e odd hyn. I Dafydd, y Phariseaid odd y jiraffs, a chyn y câi'r rheiny fynd mewn i'r Nefodd fe fydde'n rhaid iddyn nhw blygu 'u penne, ne' aros tu fâs.

Gyda llaw, gyda'r holl anifeilied 'na yn yr

arch, rodd carthu'n fusnes mowr. A wyddoch chi, ar ôl ugen dydd ac ugen nos, fe ddechreuodd yr arch ddrewi. Ond dyma Noa yn bwrw angor, a dyma fe a Sem, Cham a Jaffeth yn carthu'r arch gan adel tomen fowr ar ôl fel ynys anferth wrth ben y dŵr. A fan'ny buodd y domen gachu nes i Colymbys 'i darganfod hi yn yr unfed ganrif ar bymtheg, a'i bedyddio hi yn America.

Beth bynnag, awn ymlaen. Y pwynt yw hwn. Cyn mentro i'r môr ma'n rhaid i chi baratoi. A dyna odd mistêc mowr Capten Iolo.

Rodd gen i dractor ar gyfer llifo côd, a hwnnw'n hen ac yn rhedeg ar TVO, a rown i wedi cal llond bola arno fe. Nawr fe glywes bod injan Gardner ar werth 'da ryw foi o'r enw Capten Iolo yng nghyffinie Llandudoch.

Lawr a fi, nawr, a dyma daro bargen â'r Capten ar yr amod 'mod i'n talu lawr. Ie, tâl dy ffordd wrth fynd, dyna arferiad yr hen Gymry, os na fedri, paid â mynd. Ond rodd un amod arall i fargen y Capten. Rodd yn rhaid i fi yn gynta fynd â'r injan gydag e ar 'i long, yr Arakataka, mâs i Ffrainc lle'r odd gyda'r Capten long arall heb injan ynddi.

Y syniad odd hwylio mâs i Ffrainc â'r injan Gardner, yr un own i wedi'i phrynu, ac wedi talu amdani. Wedyn, ar ôl cyrradd Ffrainc, rhaid fydde gosod yr injan yn y llong newydd a'i hwylio nôl i Landudoch.

Fe lwython ni'r injan yn ddigon didrafferth a bant â ni a chyrradd porthladd Bolôin. Wedyn dyma roi'r injan Gardner yn y llong newydd.

Nawr rodd hyn yn gofyn am ddathliad. Rodd ffito'r injan mewn yn y llong wedi bod yn gamp, ontefe, ac o dan yr hen drefen slawer dydd, rhaid odd dathlu. Yn yr hen ddyddie, pan fyddech chi wedi codi to, wedi gosod y cwple mowr yn 'u lle, a thoi'r cyfan, rodd hyn bob amser yn destun llawenydd a balchder. A rhaid odd agor casgen o gwrw a'i hyfed yn sych. Dyna ystyr y term cwrw cwple, sef y cwrw y byddech chi'n 'i gâl ar ôl codi to.

Beth bynnag, ma'n rhaid fod y Capten yn gyfarwydd â'r arferiad. Rodd e mor falch fod yr injan yn 'i lle fel rodd yn rhaid agor casgen a photel o wisgi. Dodd y cwrw'i hunan ddim yn ddigon i'r Capten.

Ar ôl sychu'r gasgen a'r botel dyma droi am adre. Ond erbyn hyn dodd y Capten na finne ddim yn rhyw siwr iawn o arwyddion y môr. A ron ni'n dou yn rhy feddw i weld y sêr heb sôn am 'u darllen nhw.

Ond rodd gen i ffydd yn y Capten, er bod hwnnw'n feddw gaib. Ar ôl hwylio am sbel, a'r Capten ar frig y mast yn edrych am dir, dyma'r llong yn crafu'r gwaelod, a lawr â hi.

Dyna lle'r own i, hyd 'y ngwddwg mewn dŵr, a'r Capten yn hongian wrth y mast. Ac ar ben hynny, ron ni ymhell mâs o'n ffordd. Yn lle glanio yn Llandudoch ron ni wedi suddo yn Aberdyfi.

Trw ryw ffawd rodd y llanw ar 'i ffordd mâs, ond fan'ny fuon ni am bwyti awr, yn suddo lawr a lawr. Ond rodd 'mhen i'n dal wrth ben y dŵr. Pan ath y llanw mâs fe lwyddon ni i batsho gwaelod y llong, ailstarto'r injan Gardner a'i bwrw hi am Landudoch. A fan'ny ar y trâth yn Llandudoch fe dyngodd y Capten na dwtshe fe ddim â dropyn o gwrw na wisgi byth wedyn. Ond mhen dwyawr rodd e'n feddw whîl unweth 'to.

A dodd 'y nhrafferthion i ddim drosodd, chwaith. Fe fues i wrthi wedyn yn tynnu'r

injan yn rhydd, 'i llwytho hi a'i chario nôl i'r gweithdy. Ond throiodd hi ddim o'n llifie i o gwbwl. Fe'i gwerthes hi i ryw Sais twp am deirgwaith 'i gwerth. Hynny yw, fe ddefnyddies i nodweddion gore'r Cardi, ontefe.

D'os dim byd o'i le ar hynny. Ma Duw wedi rhoi i'r Cardi y ddawn o droi'r geiniog fach yn ddwy. Bwrw dy fara ar wyneb y dyfroedd, ontefe, ond gofala neud yn siwr gynta fod y teid yn dod mewn.

Ar gawl ma'r diawl yn dwli –ac arian
Mae'r gŵr yn addoli,
Arwr ffraeth, uffernol o ffri,
Gewch chi mo'r stîm o'i gachu.

Un arferiad 'da rhai o'r captenied o'r ardal hon odd dod nôl â pharot gyda nhw. Wy'n cofio un capten yn arbennig odd â pharot 'dag e. Dodd pethe ddim yn dda iawn rhwng y capten a'i wraig, ac ar ben y cyfan fe ddihangodd y parot.

Fe ath y capten mâs ar 'i ôl e, a fe'i gwelodd e ar ben coeden yn y câ fan'ny. A dyna lle'r odd y capten, â rhaca gwair, yn treio câl y parot lawr o ganghenne'r goeden. Tra rodd e wrthi yn pregethu wrth y parot rodd yr hen fenyw 'i wraig yn gwrando'r ochor draw i'r clawdd.

"Wy'n talu wheugen yr wthnos iddi," mynte'r capten wrth y parot, "a'r cyfan wy'n gâl yw jwmp unwaith y mis."

Diawl, rodd yr hen barot yn gwrando. A meddyliwch, tai'r parot wedi câl mis o siarad felna, fe ddeue fe'n rhugl. A mwy na hynny, ar ôl clywed am brobleme priodasol y capten fe alle'r parot gâl job fel marej cownselyr, rhyw Farjyri Prŵps o dderyn, ontefe.

Beth bynnag, sôn am y môr own i. A ma'n rhaid i ni barchu'r môr. Pan ma perthynas ne' ffrind agos yn mynd i'r môr, rŷch chi'n gofidio, yn 'dŷch chi? Rodd 'na foi bach o'r ardal odd yn dipyn o fardd, wel yn fardd mowr, a gweud y gwir, ond bardd na dderbyniodd gydnabyddieth deilwng am ddyfnder, dwyster a gloywder 'i awen. Nawr, bob tro y bydde fe'n gneud rhwbeth o'i le fe fydde'i fam yn bwgwth 'i adel e, a mynd i'r môr.

Wel, fe gyfansoddodd bennill yn mynegi'i deimlade, a ma fe'n bennill mowr, yn bennill cofiadwy sy'n llawn angerdd a dwyster. A dyma fe –

O, mam! Peidwch mynd i'r môr!
Os ewch chi i'r môr
A chwmpo lawr i'r gwaelod!
O, mam! Peidwch mynd i'r môr!

Ie, cerdd fowr iawn, ontefe. Wn i ddim a ath hi i'r môr, cofiwch. Fe ddyle hi fod wedi mynd. Wedi'r cyfan, ma'n werth mynd er mwyn câl dod nôl. Os na ewn ni, ddewn ni ddim nôl.

Cofiwch, tristwch mowr yw mynd i'r môr a boddi. Ond tristwch mwy yw boddi yn ymyl y lan. Ma modd, fel ma'r hen ddihareb honno'n weud, croesi'r Gŵy a marw yng Nghonwy. Ac yn steddfod Pibwrlwyd flynyddoedd nôl, y ddihareb 'na odd testun yr areth ar y pryd.

Dyma hen ŵr bach lan i'r llwyfan ac yn adrodd yr hanes trist am Wili bach o Bont-shân. Medde Wili bach wrth 'i fam un bore Llun,

"Mam", mynte fe, "wy'n mynd i Affrica."

"Wel, machgen bach i", mynte'r fam, yn bryderus, "ond dyna fe, os wyt ti'n benderfynol o fynd, cer di Wili bach."

A dyma Wili yn magu nerth, ac yn dal llong a hwylio am Affrica bell. Ar y ffordd fe welodd bethe rhyfedd yn y môr, morfilod mowr, a jeliffishis o bob lliw a llun. Ond fe gyrhaeddodd Affrica yn saff, a bant ag e ar draws y wlad fowr honno nes cyrradd yr afon Neil. Ond dodd 'na ddim pompren ar 'i thraws hi iddo fe groesi i'r ochor draw.

Yn yr afon rodd lot fowr o Hipo Bob Tomosis yn gorwedd, a dyma Wili bach yn camu ar ben un Hipo Bob Tomos, ac yn camu o ben hwnnw i ben Hipo Bob Tomos arall, a mlân ag e, o ben un Hipo Bob Tomos i'r llall nes cyrhaeddodd e'r ochor draw.

Ond wedi cyrradd yr ochor arall fe gododd hireth mowr ar Wili bach, hireth am weld 'i fam nôl ym Mhontshân. A'r unig ffordd nôl dros yr afon odd camu unweth 'to o un Hipo Bob Tomos i'r llall.

Fe groesodd yr afon yn ddiogel, a nôl ag e ar draws Affrica am y porthladd a'r llong, a hwylio'n ôl am Gymru, ac am Bontshân.

Ryw fore Llun dyma Wili bach yn cyrradd adre, a'i fam yn 'i groesawu ar garreg y drws.

"Wili bach, 'y machgen glân i", mynte hi, "rwyt ti wedi dod nôl. Nawr, cer i'r gwely, Wili bach, ti'n siwr o fod wedi blino."

Fe ath Wili i'r gwely, a bore drannoth dyma'i fam yn gneud brecwast iddo fe, a galw ar waelod y stâr arno fe i godi.

"Wili bach, dere, cwyd Wili bach, ma dy fara te di'n oeri."

Dim sôn am Wili bach yn ateb. A dyma'i fam yn mynd lan i'r llofft, yn towlu'r cowntyrpan, y garthen a'r shîten nôl o'r gwely. A wyddech chi, dyna lle'r odd Wili bach yn gorwedd ar 'i hyd ar y gwely, yn farw.

Ie, Wili bach wedi croesi'r môr, wedi croesi'r afon Neil ond wedi marw ym Mhontshân. Wili bach wedi croesi'r Gŵy a marw yng Nghonwy, wedi trechu'r pethe mowr, ond wedi colli yn y pethe bach.

Fe ddath Wili bach o Bontshân nôl yr holl ffordd o Affrica. Croesi'r môr a'i donnau mawrion, gweld yr Hipo Bob Tomos mawr a'r morfil mwy, ond câl 'i ladd gan slashen o whannen yng ngwely 'i fam.

On'd yw bywyd yn galler bod yn od weithe?

TWF LLÊN CYMRU

Yn siop y crydd, y Dulas Bŵt Stôrs, own i pan weles i fe gynta.

"Welwch chi'r dyn 'na fanna?" mynte'r crydd, gan bointo at ryw ddyn urddasol, â thrwch o wallt gwyn, odd yn mynd heibo. "Dyna i chi Mistyr Dewi Emrys James."

A 'na'r cip cynta gês i eriôd ar Dewi Emrys. Fues i fowr o dro wedyn cyn dod i'w nabod e'n dda. Dod lawr 'ma o Lunden nath e i osgoi'r bomio amser Rhyfel, a fe sgrifennodd am y profiad o symud mewn englyn,

Cilio draw wedi'r gawod –i wynfyd
Cymanfa'r mwyalchod,
Ar lan afon fyw, byw a bod
A thwyllo hen frithyllod.

Do, fe ddês i nabod Dewi'n dda, a fe fues i'n gneud amal i jobyn fach iddo fe. Gweitho draw yn Cribyn own i ar y pryd, a ble bynnag byddwn ni, fe fyddwn i'n pregethu cenedlaetholdeb, ontefe, ne' adrodd darne o farddonieth, englyn ne' ddou, ne' ddarne o bryddeste ne' awdle.

Rodd y stori wedi cyrradd Cribyn fod y dyn od 'ma, Dewi Emrys, wedi symud i Dalgarreg a rodd y fforman yn teimlo bod y dyn 'ma'n ddylanwad drwg arna i.

"Gwrandwch nawr, Eirwyn," mynte fe wrtha i, "chi ddim yn meddwl y byddai'n well i chi taech chi'n darllen mwy o'r 'Carpintyr and Bildyr' yn lle poeni am stwff yr hen ddyn 'na sy 'dach chi yn Talgarreg, beth yw 'i enw fe nawr . . . ymmm . . . Gwdwin Prys, ontefe."

Ar ôl dod i nabod Dewi'n iawn fe fydde Dennis a finne yn mynd gydag e i ddarlith ne' steddfod. Rodd Dennis yn un da am lunio brawddege a phethe felny a fe fyddwn inne'n rhoi cynnig ar yr adrodd. Wy'n cofio un steddfod yn arbennig, yn Abergorlech. Fe ath Dennis, Dewi Emrys a finne draw 'co, a fe gerddon beder milltir i whilo am dafarn, ond dodd dim un yn y cyffinie.

Nôl a ni i'r steddfod, a dyma fi'n mynd lan i'r llwyfan i adrodd. Ond yn y cefen fan'ny rodd rhai o'r bois lleol yn cadw sŵn. Diawl, fe ath Dewi'n grac atyn nhw, a dyma fe'n taranu dros bob man,

"Yn y dom da ŷch chi, ac yn y dom da y byddwch chi", mynte fe.

Ond fe enilles goron ar waetha popeth! Fe fues i'n cystadlu llawer pan odd Dewi 'i hunan yn beirniadu. Rown i'n siwr o gâl yr ail wobr, os na gisen i'r cynta 'dag e. Rodd e'n gwbod am 'yn amgylchiade ariannol i, chweld, gwbod nad odd fowr ddim yn y god.

Yr adeg 'ny fe fyddwn i'n adrodd darne fel 'Y Bont ar Dân', hynny yw, darne odd i fod yn ddarne difrifol. Ond rown i wedi darllen *Ysgol yr Adroddwr*, a rown i'n troi'r peth difrifol 'ma'n ddoniol, chweld, mynd i ysbryd y darn, ontefe. A rodd Dewi Emrys wrth 'i fodd 'da pethe felny.

Wrth droed y bryn yng nghanol gwlad
Y safai pentref prydferth,
A rhedai rheilffordd drwy ryw stâd
Lle cludid llwythi anferth . . .

Ond fe ddath tân o rwle, a dyma bont y rheilffordd yn llosgi. Fe fyddwn i wedyn yn mynd i ysbryd y darn yn ôl cyfarwyddyd *Ysgol yr Adroddwr*, a rodd hyn yn goglas Dewi.

Fe fydde fe wrth 'i fodd wedyn yn adrodd storïe doniol wrthon ni. Rodd gydag e lawer o storïe am ficeried, a thros y blynyddodd rwy wedi addasu lot o'r rhein a'u priodoli nhw i Ficer Penstwffwl, ontefe, hynny yw, cyfuno hiwmor Dewi Emrys a Idwal Jones.

Dyna i chi'r stori am y camddealltwrieth 'ny gododd pan odd y ficer yn bwriadu gneud cyhoeddiad 'i fod e ise gwerthu llyfre canu, hynny yw, llyfre emyne. A dyma'r ficer, a odd wedi dysgu Cwmrâg, wrth gwrs, yn gweud wrth y cyhoeddwr,

"Nawr, pan fyddi di'n codi lan dydd Sul nesaf i cyhoeddi, byddaf inne'n codi lan yn strêt awey ar dy ôl di i adfyrtaisio'r lyfrau canu 'ma."

Y Sul canlynol, dyma'r cyhoeddwr yn codi i siarad,

"Y Sul nesa 'ma, gyfeillion, fe fydd 'ma fedydd," mynte fe, "hynny yw, fe fydd 'ma fabi bach yn câl 'i fedyddio."

Fe feddyliodd y ficer nawr bod y cyhoeddwr yn sôn am y llyfre canu, a dyma fe lan ar 'i drâd ar unweth,

"Ie, cyfeillion", mynte fe, "rhaid i ti cael un bach o'r rhain ar unwaith. Mae lot o ti merched wedi câl un bach o'r rhain yn y siop rownd ddy cornyr fanna am hanner-coronyn, a bydd yr un hanner-coronyn 'ma â cefn coch gyda hi, ond os wyt ti'n leico gall ti câl un tamed bach yn tshepach na honna. Gall ti câl un bach am y deunaw 'ma, a bydd yr un deunaw 'ma wedi 'i rhwymo miwn croen llo. A thithe'r hen menywod draw fanna, paid tithe â wherthin. Galle tithe câl un bach o'r rhain gyda sbeshal effort."

Stori arall fydde Dewi yn hoff o'i hail-adrodd odd honno am y ficer wedyn yn pregethu am yr Athro Mawr yn mynd o Nasareth i Gapernaum ar gefen ebol asyn. Ond pam odd yr Athro Mawr wedi dewis ebol asyn? Dyna odd cwestiwn mowr y ficer, ontefe, a dyma fe'n mynd ati i gynnig ateb,

"Wel, yn gynta rodd yr Athro Mawr wedi dewis ebol asyn am bod hi'n anifel dim gwerth, yn no gwd. Yn ail peth, odd hi'n ebol asyn odd yn cicio. Ac yn trydydd peth, odd hi'n ebol asyn odd yn WAIN . . . DIO." Weindo yw cico'i drâd ôl, ontefe, a rodd y ficer yn canu'r gair, a'i festyn e gydag arddeliad mowr.

Un nosweth rodd y ficer wrthi wedyn yn pregethu, a'i destun e odd, 'Na farnwch fel na'ch barner'. A phan odd e'n dod i'r uchaf-bwynt rodd e'n llafarganu, yn mynd i ysbryd y darn,

"Maen nhw'n dweud yn y caeau gwair . . . hmmmm . . . maen nhw'n dweud yn y caeau tato . . . hmmmmm . . . maen nhw'n dweud ym mhobman fod Mrs Griffiths a finne'n cwmpo mâ . . . â . . . â . . . â . . . âs."

Yn ôl Dewi, dyna odd ffordd y ficer o festyn 'i bregeth, a rodd e'n adrodd y stori 'na gyda blas.

Stori ryfedd arall fydde fe'n 'i hadrodd

odd honno am Shemi Wâd. Nawr, rodd Shemi, boi o Abergweun, wedi bod ar y môr, a diawl, lawr bwyti Ynysoedd Môr y De fe fuodd rhyw frwydyr fowr iawn, rhyw fochyndra rhyfedda. Tebyg iawn ma'r Suson odd wrthi fan'ny wedyn.

Beth bynnag, ar ganol y frwydyr fowr 'ma, fe achubodd Shemi wraig y brenin, a fe gath fynd i'r palas brenhinol a châl 'i anrhydeddu, ontefe.

Ar ôl rhyw dri mis o'r bywyd bras 'ma, dyma Shemi'n penderfynu 'i bwrw hi nôl am Abergweun. Fe gath arian mowr 'da'r brenin a'i roi ar long. Dyma fe'n cyrradd Aberdaugledde, a dyma fe'n glanio, â'i gwdyn bach morwr ar 'i gefen.

Fe yfodd Shemi gymint o gwrw nes odd e'n feddw fowr. Dodd dim lle 'dag e i gysgu a rodd hi'n rhy hwyr i fynd adre, a dyma Shemi'n dringad mewn i faril gwn mowr y Côst Gârds odd wrth yr harbwr fan'ny.

Jawch, bwyti dou o'r gloch y bore dyma Shemi'n breuddwydo'i fod e'n hedfan, 'i fod e yn yr awyr. A jiw, wedi iddo fe feddwl, dim breuddwydo odd e. Rodd e'n hedfan yn yn wirioneddol. A fe gofiodd bod y Côst Gârds yn tano'r gwn bob bore, a dyna beth odd wedi digwydd.

Ond 'na lwcus fuodd Shemi. Rodd y gwn wedi'i gyfeirio'n gywir at Abergwaun. A dyma Shemi, ar fore dydd Sul, yn disgyn bwyti hanner awr wedi deg ar ben ceiliog y gwynt ar dŵr yr eglwys yn Abergweun. Fan'ny odd e'n hongian, a thîn 'i drowser e'n sownd wrth y ceiliog gwynt a'r ficer o tano fe'n drychid lan, yn ffeilu diall beth odd wedi digwydd.

Ma'r stori 'na ar gâl yn ysgrife Dewi Emrys, ddim yn hollol yn y ffurf 'na, chwaith. Ond felna adroddodd Dewi hi wrtho i. Fe ffeindies i'r stori un dwrnod pan own i lawr yn llyfrgell Cei Newydd yn gosod pân o wydyr newydd yn y ffenest. Gweitho i'r Cyngor Sir own i bryd 'ny. Diawl, fe ddês i ben â'r job mewn bwyti awr, a dyma fi'n mynd ati wedyn i dwrio 'mhlith y llyfre fan'ny, a beth ffeindies i odd ysgrife Dewi Emrys. A fanna ma'r stori ar gâl.

Rodd hi'n werth gweitho i'r Cownti Cownsil drw'r dydd, a châl 'y nhalu am ddarllen ysgrife Dewi Emrys!

Rodd hi'n bleser galw yn Y Bwthyn 'da Dewi. Rodd bwrdd y gegin yn gawdel i gyd, yn daflenni, posteri, llyfre, cwpane te, bara —popeth allech chi feddwl amdano. A'r gwely yn y cornel fan'ny wedyn.

Dodd e byth yn cadw orie run peth â phobol erill. Fydde fe byth yn codi yn y bore. Wy'n cofio droeon, dod adre ar y moto beic bwyti dou ne' dri o'r gloch y bore. Gole mowr yn Y Bwthyn, er 'i bod hi'n gyfnod y blac owt, a Dewi'n cario stên o'r tap i gadw pethe i fynd drw'r nos.

Pan fydde fe'n mynd i rwle i ddarlithio fe fydde boi o Cribyn yn mynd ag e yn y car, a fe fyddwn inne'n mynd gyda nhw. Rodd hi'n werth galw 'dag e cyn iddo fe fynd i ddarlith. 'Na lle bydde fe yn paratoi, yn gwbwl ddall a byddar i neb arall odd yn y tŷ gydag e. Fe fydde fe'n cerdded nôl a mlân a gneud rhyw sŵn od, yn sefyll o flan y glàs ac ysgwyd 'i wallt nes bod hwnnw'n mynd nôl fel mwng caseg. Felny odd Dewi'n ymarfer, chweld.

A phan fydde'r awen yn dod heibo fe fydde pethe'n wâth byth. Fe fydde fe'n gneud sŵn rhyfedd, yn dal 'i law ar 'i glust a drychid lan at y to. Rodd hi'n amser i fynd bryd 'ny. Rodd yr awen yn 'i gynhyrfu fe gymint nes odd e'n mynd yn grac.

Odd Dewi mor alluog, odd e'n mynd o'i go os bydde rhywun yn dyfynnu rhwbeth yn rong. Fe nês i hynny unweth, dyfynnu englyn yn rong, a hwnnw'n un o'i englynion e i hunan. Nes i byth 'i gam-ddyfynnu fe wedyn.

Rodd Dennis a finne'n mynd i ddosbarthiade nos Dewi yn yr ysgol. A rodd o'r un peth fan'ny. Un camgymeriad, a fe fydde fe'n mynd yn grac. Fe fydde fe'n sgrifennu ar y bwrdd du nes bod y sialc yn tasgu, a gweiddi arnon ni a gweud bod ni i gyd yn dwp. Ond dodd neb yn pwdi. Rodd hyn yn rhan o'i apêl e.

Rodd rhyw syniade rhyfedd 'dag e. Fe glywes i e'n gweud lawer gwaith, a ma'r ddamcanieth hon hefyd yn 'Hunan a'i Frwydrau'. Yn ôl Dewi rodd gwddwg dyn yn rhy fyr i aller mwynhau cwrw'n iawn. Fe ddyle dyn, medde fe, gâl gwddwg hir fel jiraff. Fe fydde'r cwrw wedyn yn mynd lawr yn well, gan roi cyfle i ddyn oedi uwch blas hyfryd y bityr êl.

Nawr, mynte Dewi, petai'r cwrw yn câl 'i roi lan ar ben bargod y tai mi fydde dyn, yn ôl deddf natur, yn magu gwddwg hir fel y galle fe fystyn lan at y cwrw. Gyda gwddwg hir fe fydde dyn wedyn yn galler codi peint yn hyderus a theimlo'i fod e'n câl gwerth 'i arian.

Fe fues i'n aelod o gwmni drama Dewi. Rodd e wedi sgrifennu drama, 'Y Corff', a rodd 'dag e syniade uchelgeisiol iawn ynglŷn â'r ddrama 'ma. Rodd hi i fod gâl 'i hacto yn y Brangwyn Hôl yn Abertawe, a rodd e wedi gwahodd actorion mowr, rhai o actorion mwya Sir Aberteifi, i gymryd rhan.

Rodd un olygfa mewn bar mewn tafarn, a rodd 'na yfed cwrw'n mynd mlân, wrth gwrs. Rodd Dewi'n taranu bod yr hen gwmnïe drama 'ma yng Nghymru bob amser yn yfed dŵr â lliw pan own nhw'n whare golygfa mewn tafarn.

"Ond 'ma Dewi Emrys yn wahanol", mynte fe —a rodd e bob amser yn cyfeirio ato'i hunan yn y trydydd person —"ma Dewi Emrys bob amser yn gofalu câl y cwrw iawn, y bityr êl."

Mewn un practis rodd Dewi wedi arllwys cwrw i bawb ond fi. Dodd dim cwpane ar ôl.

"Hmmmmm . . . ", mynte Dewi, wrth gerdded rownd y gegin yn whilo am gwpan. A fe ffeindiodd un, â'i lond e o ryw hen de a llâth wedi suro. Fe dowlodd yr hen fochyndra 'ma i gefen y tân a llanw'r cwpan, heb 'i olchi fe, â bityr êl.

"Do's neb yn yfed dŵr yn nrama Dewi Emrys", mynte fe, "yfa hwnna."

Fe yfes i'r cwbwl, ond fe droiodd arna i gymint fel na dwtshes i â bityr êl am flynydde.

Ddath cynllunie'r ddrama byth i ben. Rodd hi'n amser Rhyfel, a rodd prinder petrol a'r actorion mowr 'ma'n ffeilu dod at 'i gilydd. Ond rodd hi'n ddrama fowr.

Rodd Dewi'n fardd, yn llenor, yn arlunydd, yn naturieithwr, a rwy'n cofio amdano fe'n sôn am Deilwr Llunden odd gydag e cyn iddo fe ddod lawr i Dalgarreg. Fe fuodd Dewi wrthi am ryw dri mis yn dysgu'r Teilwr 'ma i whibanu emyn. A wir i chi, yn ôl Dewi, fe ddath yr hen Deilwr i ganu'r emyn 'ma'n berffeth, fel tai e mewn capel.

Wel, un dwrnod, dyma fi'n ffeindio nythed o Deilwried Llunden, a chofio am stori Dewi. Lawr a fi â nhw at Dewi gan feddwl y gwnâi e'u magu nhw i fi a'u dysgu nhw i delori.

Adeg Steddfod Aberpennar odd hi, a

chyn i fi adel am y Steddfod —fe adewes i chydig ddyddie o flân Dewi —fe rybuddies i fe i roi melyn ŵy iddyn nhw i fyta. Rodd yr hen Deilwried wedi dod mlân yn dda, wedi magu plu ac yn dechre whibanu'n neis.

Wel, ar ddiwedd yr wthnos, a finne lawr yn Aberpennar dyma fi'n mynd mewn i fws fan'ny, a phwy odd yn dod mâs ond Dewi Emrys. A dyma fi'n gofyn iddo fe, wrth fynd heibo, fel petai, shwt odd y Teilwried yn dod mlân. Os do fe, dyma fe'n mynd yn grac fan'ny ar stepen y drws, a'r condyctyr nawr yn gorffod cadw'r bws nôl tra rodd Dewi'n taranu.

"Hmmmm," mynte fe, "hmmmmm, bachan, bachan. Fe laddoch y Teilwried i gyd. Fe roisoch ormod o felyn ŵy iddyn nhw."

Diawl, rodd y bobol ar y bws yn drychid yn od arna i, yn drychid fel tawn i'n llofrudd mowr. Dewi, nid fi, odd wedi bod yn gyfrifol am farwoleth y Teilwried. Ond fi gath y bai.

Hon, yn Aberpennar, odd y Steddfod pan adawodd Dewi'r Bwthyn ar hast i ddal y bws o Dalgarreg gan adel y weiyrles mlân a'r foliwm i'r top, y tegel yn berwi'n sych ar y tân a drws y ffrynt led y pen ar agor.

Rwy'n cofio Dennis a finne wedyn yn galw gyda Dewi mewn tafarn yng Nghribyn. Gyda llaw, rodd gyda Dewi ddamcanieth fowr am yfed cwrw. Cymedroldeb odd yn bwysig, medde fe, a rodd Dennis a finne'n cydfynd ag e, wrth gwrs. Ond lle odd tynnu'r lein, ontefe? Dyna odd y cwestiwn mowr.

Beth bynnag, rodd hi'n arferiad gyda rhai pobol yr adeg 'ny, rhai pobol odd yn meddwl 'u bod nhw'n wybodus, i ofyn cwestiyne ar eirie Cwmrâg. Hynny yw, gofyn beth odd y gair Cwmrâg am hyn a'r llall.

Wel, yn y dafarn fan'ny rodd 'na foi felny yn siarad â ni. Rodd e wedi bod yn gweitho dan ddaear lawr yn y Sowth a rodd e'n hyddysg yn 'i Gwmrâg. A dyma'r boi ma'n gofyn i fi beth odd y gair Cwmrâg am *science*.

Dyma fi'n dechre palu fan'ny, a Dennis yn crafu'i ben, ond cyn i neb gâl cyfle i weud dim dyma Dewi'n gweud, "gwyddoniaeth". Diawl, fe dorrodd galon yr hen ddyn yn strêt.

Bryd 'ny rodd gen i lyfyr bach rown i'n 'i gario yn 'y mhoced gyda fi i bobman. Yn hwn rown i'n sgrifennu lawr unrhyw beth odd yn 'y nharo i fel rhwbeth diddorol. Llyfyr Bach y Ffeithie y bydde Dennis yn 'i alw fe, a phan fydde angen adnod, fel petai, i brofi pwnc, fe fydde Dennis yn gweud,

"Edrych yn Llyfyr Bach y Ffeithie."

Rodd y llyfyr bach 'ma'n bwysicach i Dennis na Llyfyr Du Carfyrddin. Chweld, ath Dennis na finne ddim i goleg nac i ysgol ramadeg. Sâr côd own i, a theilwr odd Dennis. Ma Idwal Jones wedi gweud lot am y "Teilyr and Cytyr". Wel, rodd y cylchgrawn clodwiw hwn yn câl lle anrhydeddus yng nghartre Dennis.

Ês i ddim i ysgol ramadeg, a chês i ddim coleg. Addysg Dennis a finne odd darllen *Y Cymro* a'r *Faner* a gwrando ar bobol fel Dewi Emrys. Wedyn fe fyddwn i'n gosod y pethe pwysig lawr yn Llyfyr Bach y Ffeithie. Wy'n cofio Dewi yn rhoi menthyg *Twf Llên Cymru* i fi, a'r llyfryn bach 'ny yn agor y drws i fi i gyfrole erill.

A rodd gyda Dewi lot o amser i bobol fel ni, pobol odd yn fodlon gwrando a dysgu. A fydde 'dag e air caredig, a chymorth wastad i bobol yr ymylon. Dyna beth odd Dewi 'i hunan, dyn a wrthodwd gan gymdeithas. Rodd Dewi'n gwbod beth odd bod ar y tu fâs.

Rodd hen dramp, Jim Webber, wedi setlo lawr yn Nhalgarreg, a fe fydde Dewi'n rhoi ambell i job iddo fe. Un dwrnod rown i wrthi'n riparo ffenest yng nghefen Y Bwthyn, a Dewi'n siarad â Jim yn yr ardd.

"Wyddech chi, Jim," mynte Dewi, gan edrych lan i'r awyr, "wyddech chi fod yr haul yn nainti-thri miliyn mails oddi wrth y seren agosa?"

"Wel, wel, Mistyr James bach, wyndyrffwl," mynte Jim. "Nainti-thri miliyn mails, ond eto ma fe'n dod lawr yr holl ffordd i ardd Dewi Emrys."

Dew, odd Dewi'n wherthin nes bod y dagre'n twmblo o'i lyged e. Odd, rodd Dewi'n ddyn arbennig iawn. Fe ganodd englyn mowr iawn yn *Y Cwm Unig*, a ma gen i gopi wedi'i lofnodi gan Dewi, englyn i'r "Bugail Coll". A do's dim amheueth nad odd Dewi'n gweld llawer o'i hunan yn yr englyn 'ma,

Hawdd i wlad yw beirniadu –ar wen gaer
Hen gwch a fo'n mallu,
Aed ei feirniaid i'w farnu
Draw i fôr y brwydro a fu.

Ar garreg fedd Dewi ym mynwent Pisgah ma'r cwpled, o'i waith 'i hunan,

Melus hun wedi aml siom,
Distawrwydd wedi storom.

A rhyw wyth mlynedd nôl fe fuodd yr hen gyfaill arall, Dennis, farw. Ond ma rhwbeth yn gweud wrtha i bod y ddou yn câl hwyl fowr yn rhwle, gyda Dewi yn adrodd hanes y ficer a Shemi Wâd a'r Teilwried Llunden, a Dennis yn wherthin nerth 'i ben.

DARWINIAETH

Alla i ddim honni 'mod i'n naturieithwr mowr, er i fi unwaith gadw shildyn-coch-y-dor mewn pot jam am flynyddodd. Ond fel un sy wedi'i eni a'i fagu mewn ardal wledig, ma gen i ddiddordeb mowr mewn natur. Yn y pen draw, wrth gwrs, plant natur ŷn ni i gyd, ontefe?

Dechre brân yw deryn du,
A dechre dyn yw mwnci,
A dechre bachan bach fel fi
Yw cala wedi codi.

A ma'r naturiethwyr ma'n ddynion gwybodus iawn. Cymerwch Darwin, er enghraifft, a'r boi Atynboro 'na wedyn, dou arbenigwr yn 'u maes ac yn gwbod popeth am greaduried natur, o'r whannen fach leia i'r morfil mwya.

Nawr, chewch chi ddim byd mwy cyffredin na whannen, gewch chi nawr? Ond wyddech chi bod 'na ddeugen o wahanol fathe o whain mewn bodoleth? Wel, ma fe'n wir i chi, ac ar y draenog ma'r whannen fwya blonegog. Y rheswm, chi'n gweld, yw fod pige'r draenog yn 'i rwystro fe rhag 'i lladd hi.

A ma'r Sais yn ddigon tebyg, on'd yw e yn tewhau ar gefen Cymru. A do's dim modd câl gwared o'r diawl.

Ond pwy feddylie bod pethe mor fach â whain yn galler bod mor gyfrwys? Ond dyna fe, ma hyd yn o'd rhwbeth mor ddi-nod â'r whannen â'i phwrpas mewn bywyd. Ma 'na le iddi hithe yn y drefen fowr, fel y canodd Idwal Jones,

Medde'r chwannen, 'Mae eto yn nosi,
A chryn dipyn o boen rwy'n achosi;
Fy ngorchwyl o hyd
Tra bwy' yn y byd
Yw peri dynoliaeth i gosi'.

Fe ath stiwdent ifanc i bregethu i gapel bach yn y wlad unwaith, ac wedi cyrradd y tŷ capel ar nos Sadwrn, a châl tipyn o fwyd, y peth nesa wedodd gwraig y tŷ capel wrtho fe odd,

" 'Na lwcus ŷch chi. Fe gewch chi gysgu heno mewn gwely lle buodd William Williams Pantycelyn yn cysgu."

"O, hyfryd iawn," mynte'r stiwdent, "peraidd iawn. Fe fyddai i'n 'i theimlo hi'n fraint ac yn anrhydedd câl esmwytho, gorffwyso a chysgu mewn gwely lle bu'r gŵr mawr o Bantycelyn yn ei roi ei hun i lawr. Hyfryd iawn, misys, braf o beth."

Ond dal i siarad am y fraint odd y stiwdent yn 'i gâl odd rhen fenyw o hyd nes bod y boi bach wedi câl llond bol ar glywed am Bantycelyn. Rodd e'n falch pan ddath hi'n ddeg o'r gloch iddo fe gâl troi am y gwely o sŵn y fenyw 'ma.

Ond wedi mynd i'r gwely, dyma boendod

arall yn dod nawr. Dyma'r whain yn dechre ar 'u gwaith, a nath y stiwdent bach, druan, ddim byd ond dal a lladd whain drw'r nos. Dyma fe'n codi drannoth a'r fenyw, os rhwbeth, yn wâth na'r nosweth cynt.

"Meddyliwch," mynte hi, "câl cysgu yng ngwely Pantycelyn. Fe gofiwch am hynna tra byddwch chi byw."

"Gwnaf, o gwnaf, misys," mynte'r stiwdent. "A thybed nad yn y gwely 'na y cyfansoddodd Pantycelyn 'i emyn mawr,

Mae miloedd o rai aflan
Yn mofyn am y gwaed.

Wy'n cofio câl profiad rhyfedd iawn tra'n gorwedd yn y gwely unwaith. Ym mherfeddion nos dyma fi'n câl 'y nihuno gan sŵn canu yn dod o dan y gwely. Diawl, dyma fi'n codi i edrych, a wyddech chi beth odd 'na? Wel, whannen fach odd wedi cwmpo mewn i'r pot pisho, a dyna lle'r odd hi yn hongian wrth fatshen, ac yn canu nerth 'i phen,

"Yn y dyfroedd mawr a'r tonnau . . . "

Dyna beth ma'r cerddorion mowr 'ma'n 'i olygu wrth tshembyr miwsic. Ond ma hi'n amlwg bod honna'n whannen grefyddol, un y bydde Ficer Penstwffwl wrth 'i fodd yn 'i châl hi o dan 'i gesel. Ac rodd y Ficer yn dipyn o awdurdod ar natur. A gweud y gwir, natur, ne' "nêtshyr" fel y bydde fe'n 'i weud, odd testun un o'i bregethe mowr e.

"Own i'n digwydd bod ar clos rhyw hen ffârm unwaith", medde'r Ficer. "A beth odd fan'ny ond hen ffârmyr yn mynd â llond whilbarow o caca. Ond beth odd o'i blân hi ond giâr bach a lot o cywion fach gydag e. A dyma'r giâr bach yn gweld yr hen ffârmyr 'ma â'r whilbarow a'r caca yn dod, yn gweld y perygl, a dyma giâr bach yn dweud 'Clyc! Clyc!' A dyma'r cywion fach yn mynd o dan aden y giâr bach, y cyfan ond un. Fe jympodd yr un cyw fach ar cefn y giâr bach. Nêtshyr yn gweithio, chi'n gweld. Ond dyma giâr bach yn troi at y cyw fach odd ar i cefn e ac yn dweud, 'Nawr, cyw fach, dere ti lawr o fanna. Lle dy dad sy fanna'."

Odi, ma natur yn beth rhyfedd. Wy'n cofio John 'y mrawd, Ianto Llwyn Crwn a finne yn bwrw lan am Langwyryfon ar 'yn beics, flynydde mowr nôl. Ond ar y ffordd rhwng Llannon a Llanrhystud dyma Ianto'n stopo.

"Bois, wy bownd o fynd dros y clawdd i agor 'y nhrowser", mynte Ianto. A bant ag e dros y clawdd i gâl cachad.

Tra rodd John a finne'n disgwl amdano fe, dyma ni'n tano bobi ffag. A diawl, dyma ni'n tano bobi ffag arall, a dim sôn am Ianto'n dod nôl. Fe deimlodd John a finne ma gwell fydde i ni fynd i edrych beth odd wedi digwydd iddo fe, a dyma ni'n mynd dros y clawdd.

A diawl, dyna lle'r odd Ianto, ar 'i gwrcwd â'i drowser lawr wrth i drâd. Alle fe ddim mynd nôl na mlân, alle fe ddim mynd lan na lawr. Chi'n gweld, odd twll 'i dîn e wedi cau am dop llygad y dydd.

O'r diwedd, fe githon ni Ianto'n rhydd, a bant â ni unweth eto ar 'yn beics. Ond dyma drychineb arall yn digwydd cyn i ni gyrradd Llanrhystud.

Fan'ny ar yr hewl o'n blân ni rodd Ostin Sefyn wedi bwrw mewn i geilog Blac Leghorn. A fan'ny, wrth 'i ben e rodd hen fenyw –rodd hi wedi talu pum gini amdano fe– yn llefen fel afon. A diawl, ceilog pert odd e hefyd, y Blac Leghorn mwya weles i eriôd, ceilog piwyr brîd, cribgoch braf, ond erbyn hyn yn gorwedd yn gelen ar yr hewl.

Dyma John, Ianto a finne, o dan y fath amgylchiade diflas, yn tynnu'n capie o barch i'r ymadawedig ac yn mynd draw â chorff y Blac Leghorn gyda'r hen fenyw i'r tŷ i dorri'r newydd trist i'r hen ddyn.

"Ow, ma'r ceilog wedi'i ladd! Be 'na i, be 'na i?" medde'r hen fenyw.

"Plua fe tra bod e'n dwym", medde'r hen ddyn, "fe ddaw'r plu bant yn haws. Fe neith gino bach neis i ni fory."

Fe bluodd rhen fenyw'r ceilog. A dyna lle'r odd e, yn gorwedd ar fwrdd y gegin fel tai e ar elor, a'i ben bach e ar dro. Ond diawl, dyma'r ceilog yn agor un llygad. A wedyn dyma fe'n agor y llall ac yn ysgwyd 'i ben. Dodd yr hen greadur ddim wedi'i ladd wedi'r cwbwl. Dim ond ergyd fach ar 'i ben odd e wedi gâl.

Ond o'i weld e fan'ny ar fwrdd y gegin yn borcyn, heb un pluen arno fe, dyma'r hen ddyn yn gweud wrth 'i wraig,

"Fydde fe ddim yn beth neis, fydde fe ddim yn beth gweddus, 'i ollwng e mâs i'r clos at yr anifeilied erill yn borcyn fel hyn. Dwi'n cynnig bo ti'n patsho trowser bach am 'i benôl e."

A dyma'r hen fenyw ati, ac yn patsho trowser bach neis i'r ceilog, a lastig am 'i ganol e. Fe'i gollyngodd e mâs i'r clos, a dyna lle'r odd yr hen geilog, â'i urddas e wedi'i adfer, yn camu'n fras ar hyd y clos.

Ond mlân yn y prynhawn, tua amser te, dyma ryw sŵn rhyfedd ar y clos, rhyw ralentando fowr. Fe edrychodd rhen ddyn a'r hen fenyw mâs drw'r ffenest, a dyna lle'r odd yr olygfa ryfedda. Dyna lle'r odd y ceilogod erill a'r combacs, y twrcis a'r gwydde i gyd yn gynulleidfa fowr yn gwylio'r arddangosfa ryfedd. A'r hyn odd wedi digwydd odd fod yr hen geilog wedi câl 'i gôs am wddwg yr iâr, ond yn methu'n lân ag agor 'i gopis.

Hynny yw, fel llawer ohono ni, rodd e wedi trechu'r pethe mowr, ond yn colli ar y pethe bach. Ond dyna ffordd natur, ontefe.

Ac ma natur yn galler bod yn greulon weithe, on'd yw hi? Dyna i chi'r hanes am yr hen bâr 'ny yn y pentre odd yn ddi-blant, neb gyda nhw ond Fflos yr ast fach. Rodd rhen Fflos yn rhan o'r teulu, a'r hen ŵr a'r hen wraig yn gofalu ar 'i hôl hi fel tai hi'n ferch iddyn nhw. Dodd rhen ast eriod wedi câl mynd mâs trw lidiart yr ardd.

Erbyn hyn rodd Fflos yn hen ast, yn dair ar ddeg o'd. Ond rhyw brynhawn fe adawodd rhywun lidiart yr ardd ar agor, ac fe ath Fflos yn rhydd. Mâs â hi i'r hewl fowr a lawr i'r pentre.

Pwy ddath i gwrdd â hi ond yr hen Taff, labrador mowr y dafarn. Ac ar unwaith dyma Taff ynghlwm wrth Fflos. Ond be ddath heibo ond lori galch, ac fe laddwd Fflos.

'Na i chi drychineb! 'Na i chi alar! Fe gladdwd Fflos yn nhop yr ardd, ac fe gomisiynwyd bardd mwya'r pentre i gyfansoddi marwnad i'w rhoi ar glawr yr arch. Ac fel hyn odd y pennill trist yn mynd –

Bu farw Fflos, mewn oedran teg
Cyn cyrraedd pedair blwydd ar ddeg;
Ni fu ei diwedd hi yn swît –
Bu farw'n hwren ar y strît.

Ond fe fuodd natur yn fwy caredig wrth Carlo. Ci defed odd Carlo, yn ôl yn y dyddie hynny pan fydde llonge'n dod miwn i borthladdodd Aberaeron, Cei Newydd ac Aberteifi. Fe fydde'r llonge 'ma'n dod mewn â bwydydd ffarm, a hwylio mâs â llwyth o galch ne' rwbeth tebyg.

Un dwrnod fe ath Tom, ffermwr lleol ac athro Ysgol Sul, lawr â'r cart a'r ceffyl i'r Cei i nôl llwyth o fwydydd i'r gwartheg. Ac yn 'i ddilyn e, rodd y cŵn, ac yn 'u plith nhw rodd rhen Garlo.

Ar ôl llwytho, dyma droi am adre, ond erbyn cyrradd y Gwenlli fe sylwodd Tom fod Carlo wedi mynd ar goll; dodd e ddim gyda'r cŵn erill. A diawch eriôd, 'na drist odd e. Rhen Garlo, y ci ffyddlon a gweithgar wedi mynd.

Fe ath tair wthnos heibo, a dyma Tom yn mynd unwaith eto â'r gart a'r ceffyl lawr i'r Cei i nôl llwyth arall o fwydydd. A jiw, pwy odd yn cerdded mâs o'r llong ar hyd y gang planc, gan ysgwyd 'i gynffon, ond rhen Garlo.

Lle rodd e wedi bod, medde chi? Wel, rodd Carlo wedi clywed bod gast yn cwna lan yn Abersoch, a fe ath draw ati ar y llong. A wedi iddo fe'i bodloni hi dyma fe'n dod nôl ar y llong nesa.

A ma cŵn yn glefer, on'd ŷn nhw? Wyddoch chi, nawr, pam ma ci yn codi'i gôs wrth bisho? Wel, pan bishodd y ci cynta, chododd e mo'i gôs, a fe gwmpodd wal ar 'i ben e, a byth ar hynny ma pob ci yn codi'i gôs ôl a'i gosod hi yn erbyn wal ne' goeden rhag ofan.

Natur yn gweitho unwaith eto, ontefe? Ac ma hi'n bwysig i chi ddeall cyfrinache natur. Dyna i chi Tomos Ceuffos yn meddwl am brynu eboles. Ond cyn mentro'i phrynu hi fe ath Tomos ati i gâl hanes 'i mam hi.

Fe ddeallodd Tomos fod tri bai ar y fam. Y bai cynta odd 'i bod hi'n coco'i chluste pan fydde hi'n mynd i'r stabal. "Wel", mynte Tomos, "arwydd o berygl."

Yr ail fai odd 'i bod hi'n talgwmpo wrth fynd i'r dŵr. "Arwydd o wendid", mynte Tomos.

Y trydydd bai odd 'i bod hi, bob tro y bydde hi'n mynd i'r stabal, yn garantîd o gachu yn y manjer. A dodd dim maddeuant am y trydydd gwendid 'na, odd e?

A Tomos odd yn iawn. Ma deall pedigri, deall olynieth, yn bwysig iawn, fel yr hen ffarmwr a'r bardd gwlad hwnnw odd yn ymhyfrydu yn llinach 'i gaseg. Fe sgrifennodd bwt bach o bennill i nodi'r ffaith –

Prynodd 'nhad ryw gaseg arall
Gan ryw ddyn o Ddyffryn Clwyd;
Marchwyd hon gan Fwch y Gader –
Dyna ddechre'r Gaseg Lwyd.

Ac mae e'n beth rhyfedd fel y ma dyn yn ymhyfrydu yn nodweddion gore'i anifeilied, yn dyw e? Dyna i chi Jac Dorglwyd. Rodd mochyn 'da Jac, y mochyn lleia welodd neb eriôd. Ond rodd Jac yn meddwl y byd ohono fe.

Un dwrnod dyma Ben, cymydog i Jac yn galw, a Jac, yn llawn balchder, yn mynd â Ben i weld y mochyn.

"Wel, Ben", mynte Jac, "be ti'n feddwl o'n mochyn i?"

"Diawl, Jac", mynte Ben, gan grafu'i wegil o dan 'i gap wrth weld mor fach odd y creadur, "ma mochyn am flynydde gyda ti."

A wyddoch chi, ma hyd yn o'd ambell i Sais, er mor dwp yw'r diawled hynny, yn galler gwerthfawrogi cyfrinache natur. Fe ddath un ohonyn nhw i fyw i'n hardal ni, a nid yn unig fe nath e ddysgu Cwmrâg, ond fe nath roi cynnig ar farddoni hefyd. Cwmrâg digon lletwhith odd 'dag e, cofiwch, a'i farddonieth e hefyd yn ddigon talcen slip. Ond whare teg iddo fe am fynd ati a gneud ymdrech.

Fel hyn y canodd e i ryfeddode natur, ac i foch yn arbennig. Ond dyna fo, wedi meddwl, fe ddyle Sais, o bawb, fedru nabod mochyn. Ond ta waeth, dyma'i gampwaith e –

Fi wedi weled lot o môc,
Rai yn wen a rai yn gôc,
Ond dyna mocyn gyda Ben,
'Anner gôc a 'anner wen.

Ond howld on. Dodd y Sais ddim wedi gorffen. Dyma fe'n annerch 'i gynulleidfa unwaith eto. "Paid ti â werthin, bois", medde fe, "neith fi well pishin na honna –

Wyth o glôc yn bwydo môc
A naw o glôc câl sypyr,
Deg o glôc yn mynd i wely,
Un-a-deg ar ben hen Cati."

Ie, rhen Sais yn rhoi mynegiant i'w deimlade. Hyfryd iawn, ontefe.

Ond be wede fe tai e'n gweld yr hyn welodd torrwr bedde mynwent Hen Fynyw? Dew, 'na i chi stori. Fe fydde Darwin 'i hunan wedi'i châl hi'n anodd i esbonio'r digwyddiad 'ma.

Nawr rodd y dyn 'ma'n torri bedd ym mynwent Hen Fynyw, tu fâs i Aberaeron, un o'r mynwentydd hyna yn y wlad 'ma. Ac wrth dorri'r bedd dyma'i raw e'n codi penglog. Dim byd yn od yn hynny, wrth gwrs. Ond yr hyn odd yn od odd fod y benglog arbennig 'ma'n symud.

Jiw, 'na i chi beth mowr, ontefe? Penglog yn symud nôl a mlân. Ac fe gafodd y torrwr bedde 'ma gymint o ofan fel y neidodd e mâs o'r bedd a rhedeg drw'r fynwent am adre.

Ond hanner ffordd adre fe bwyllodd, ac fe ystyriodd, a fe ddath i'r penderfyniad fod yn rhaid fod 'na reswm dros y digwyddiad rhyfedd 'ma. A dyma fe nôl. A wyddoch chi pam odd y benglog yn symud? Wel, rodd llyffant mowr y tu fewn i'r benglog yn treio'i ore glas i ddod mâs trw un o dylle'r llygad.

Ond y cwestiwn mowr yw hwn. A dyma ni'n ôl gyda'r naturieithwyr unwaith 'to. Shwt odd y llyffant mowr 'ma wedi mynd mewn i'r benglog, a wedi aros 'no am flynyddodd? Wel, dyma'r ateb i chi. Tebyg iawn fod y gwrthrych, hynny yw, yr ymadawedig, rywbryd yn ystod 'i fywyd wedi yfed dracht o ddŵr heb sylwi bod 'na benbwl yn y dŵr. Dyma'r penbwl wedyn yn gweithio'i ffordd i fennydd y dyn, i'w benglog e, a throi'n llyffant, a'r llyffant yn tyfu'n rhy fowr i ddod mâs.

Y wers wedyn, ontefe, yw i ni fod yn wyliadwrus iawn beth ŷn ni'n 'i yfed. Peidwch byth yfed dŵr. Falle bod 'na benbwl ynddo fe. Yfwch gwrw.

Nawr dw i ddim yn honni 'mod i'n arbenigwr ar natur. Ond ma dyn fel fi, wrth fyw yn y wlad fel hyn, a bod yn dyst i dreiglad y tymhore, yn bodoli mewn cymundeb â natur. Meddyliwch, er enghraifft, am y ffermwr yn y gwanwyn yn gwrteithio'r ddaear cyn mynd ati i fwrw'r had i'r pridd. Ymhlith y pethe mae e'n hau, wrth gwrs, ma tatw. Ac os bydd rhych ne' ddwy yn sbâr, fe aiff ati i hau ffa yn y rheiny.

Yna, yn yr haf ma fe'n codi bwgan brain i gadw'r adar bant. A hyd yn o'd pan ddaw hi'n adeg cynaeafu ma'r hen fwgan, fel arfer, yn dal i fod 'na. Ac ma'r ffa, yn ddigon amal hefyd, yn dal ar ôl, a'r rheiny, erbyn pentymor, wedi tyfu'n hen bethe hir, duon.

Nawr rodd gwas bach yn yr ardal odd ddim yn rhyw hoff iawn o'r feistres. Dyma fe'n mynd lawr i'r câ tatw a draw at y ffa hir, duon 'ma, yn tynnu un ohonyn nhw a'i gosod hi yng nghopis yr hen fwgan brain. Wedyn dyma fe'n sgrifennu pennill bach, a'i osod e ar goler côt yr hen fwgan. A fel hyn odd y pennill yn mynd –

Ma coc rhen ddyn wedi mynd yn fain,
Nid whare bach yw gwylio brain.
O, ewch ag e i mewn i'r tŷ.
Ma coc rhen ddyn wedi mynd yn ddu.

Rhowch le o well i hwn na'r clais,
Mae angen hon dan llawer pais.

Ond wyddoch chi, wâth i ni heb â sôn am natur pan ma dyn ar fin difetha popeth gyda'i lygredd a'i drachwant. Os ceiff dyn 'i ffordd fydd 'na ddim ar ôl. Flynyddodd ar ôl codi Atomfa Trawsfynydd, 'dŷn ni ddim wedi dysgu dim. Ma nhw'n galw nawr am fwy o atomfeydd, a ma nhw'n sôn am arfordir Bae Ceredigion fel man delfrydol iddyn nhw.

Adeg y dadle mowr am Atomfa Trawsfynydd fe gyfansoddodd Rhydwen Williams barodi ar gerdd enwog Ceiriog, ac ma hi'r un mor wir heddi a phan gyfansoddwd hi gan Rhydwen –

Aros mae'r atomfa fawr,
Rhua, rhua'n llawn o wynt,
Clywir eto gyda'r wawr
Esgusodion megis cynt.

Mwy ni thŷf y llygad dydd
O gylch traed y graig a'r bryn,
Ond rhyw flodau niwclear sydd
Ar yr hen fynyddoedd hyn.

Ar arferion Cymru gynt
Newid ddaeth o rod i rod,
Mae Trawsfynydd wedi mynd
A'r atomfa wedi dod.

Wedi oes wyddonol wych,
Alun Mabon mwy nid yw,
Ond mae'r esgyrn yn y tir
A'r farwolaeth hen yn fyw.

Ond pan fydda i a chi wedi hen fynd, a dim sôn am neb ar ôl ar yr hen ddaear 'ma, fe fydd 'yn hesgyrn ni ac esgyrn 'yn hynafied yn aros, fel 'ma'r hen bennill 'ny yn 'i weud,

Yma gorwedd hen ŵr fy nhad,
Pridd ar 'i ben a phridd ar 'i drâd,
Pridd ar 'i draws a phridd ar 'i hyd,
Ac yma y gorwedd hyd ddiwedd y byd.

Ond diawl, awn ymlaen. Do's dim pwrpas mewn bod yn ddiflas, o's e? Fel y gwedodd rhyw Sais callach na'i gilydd,

"Worry is like a rocking-horse. It moves, but doesn't get you anywhere."

Ne', fel y gwedodd y bardd hwnnw, pwy bynnag odd e,

Er maint sydd yn dy gwmwl tew
O law a rhew a rhyndod,
Fe ddaw eto haul ar fryn,
Nid ydyw hyn ond cawod.

Yr un tant odd 'da Solomon, ontefe, pan ganodd e,

"Canys wele, y gaeaf a aeth heibio, y glaw a basiodd, ac a aeth ymaith. Gwelwyd y blodau ar y ddaear, daeth amser i'w adar ganu, clywyd llais y durtur yn ein gwlad."

Ac yn Llawlyfr Moliant Undeb y Tancwyr mae cerdd fach sy'n cyfleu'r union beth, yn dwt a chryno,

S'dim otsh am ddim, s'dim otsh mo'r dam
Tai'r babi'n cachu lond y pram,
Fe ddaw eto haul ar fryn,
Os na ddaw hade, fe ddaw 'whyn,
Awn yn ôl i'r botel jin
Tan amser te.

Oblygiadau Arianaethol

Ma'n debyg i chi glywed am Joshua N'komo, y boi mowr du 'na sy'n rheoli un o wledydd Affrica? Wel, falle na chredwch chi ddim, ond Cymro glân yw Joshua.

'I enw iawn e yw Joshua N'komo Lloyd. Fe gath 'i eni a'i fagu ar Fanc Shôn Cwilt, a mi fuodd yn was bach am flynyddodd i Ianto Llwyn Crwn. A thra buodd e'n gweitho 'da Ianto, bryd 'ny y dath y newid mowr i fywyd Joshua. Hynny yw, dyna pryd y troiodd e'n ddyn du, a dysgu elfenne iconomics.

Nawr rodd Ianto yn dipyn o foi am iconomics. At Ianto y bydde Iddewon yn hala'u plant i'r ffinishing sgŵl. Ac rodd Ianto yn 'i deall hi pan odd arbed pres yn y cwestiwn.

Un bore, tra'n rhoi jam ar 'i fara menyn dyma Ianto'n sylweddoli 'i fod e'n gwastraffu amser, ac i Ianto rodd amser yn golygu arian. I ddechre fe dreiodd roi molt ar 'i fara yn lle jam. Ond rodd hwnnw'n stico wrth 'i fwstash e, ac rodd e'n colli mwy o amser felny.

Dyma fe wedyn yn rhoi cwêcyr ôts rhwng dwy dafell o fara, ond rodd gormod o golled felny. Felly dyma Ianto yn mesur y boiler mowr, er mwyn deall sgwêr rŵt y peth, ontefe, a dyma fe hefyd ym mesyr drâr y ford, i'r un pwrpas. Wedyn dyma fe'n mesur yn ofalus ugen bowlen o gwêcyr ôts mewn i'r boiler, rhoi dŵr ar 'i ben e, a berwi'r cyfan.

Wedi iddo fe ferwi, fe arllwysodd y cwbwl i ddrâr y ford a'i adel e i galedu. Wedyn, bob tro y bydde Ianto ise bwyd fe fydde fe'n torri pishyn o'r cwêcyr ôts â'i gylleth boced a'i fyta fe, rhwng dwy dafell o fara, yn ôl y galw.

Fe welodd Ianto un dwrnod bod modd gneud arian drw neud jam mâs o'r llysie duon bach odd yn tyfu ar Fanc Shôn Cwilt, a dyma fe'n hala Joshua mâs i'w casglu nhw. Ifaciwî odd Joshua, wedi dod lawr i aros 'da Ianto dros y rhyfel. Rodd 'i dad, boi o Dregaron, yn gwerthu llâth yn Llunden. Beth bynnag, fe ddath yr hen grwt nôl â llond basged o lysie duon bach. Ond mi faglodd yn y pasej, a fe'u cwmpodd nhw.

Wrth sylweddoli'r golled, fe gododd natur Ianto a dyma fe'n ymosod ar Joshua. Fe'i colbodd e, fe'i cicodd e, fe'i cleisodd e a fe rwbodd y llysie duon bach mewn i'w grôn e a'i gnawd e. A felny yr ath Joshua yn ddu.

Rodd Ianto'n gymint o iconomydd fel iddo fe gico Sara'i wraig yn 'i thîn am iddi retsho, a sarnu stwff da. Dim ond sgadenyn grot odd hi wedi'i fyta. Ond grot yw grot, a dyma gic yn 'i thîn hi, a retshodd Sara byth wedyn. Boi fel Ianto sydd 'i angen ar Magi

Thatshyr fel Tshanselyr of ddi Ecstshecyr.

Job ddwetha Joshua cyn mynd i'r gwely bob nos odd mynd mâs i'r shed ffowls lle'r odd rhyw hanner cant o ieir yn clwydo, a hwpo'i fys lan i dwll tîn pob giâr i weld sawl ŵy fydde'n câl 'u dodwy bore drannoth. Wedyn fe fydde Joshua yn gneud syms, a mynd nôl at Ianto i weud wrtho fe, fel y galle hwnnw gysgu'n dawel heb fecso y bydde Sara'n dwgid ŵy arno fe, chweld.

Ond fel 'dŷch chi'n gwbod, ma potash mewn cachu geir, a fe droiodd y potash 'ma fys Joshua yn wyn. Ac os digwydd i chi weld Joshua N'komo rywbryd, sylwch ar fys canol 'i law dde fe. Ma fe'n wyn. Fe gwrddes i ag e yn y Roial yn Steddfod Carnarfon. Fe odd Llywydd Cyfarfod Blynyddol y Cymry Duon ar Wasgar. Ac fe sylwes i bryd 'ny bod 'i fys e'n wyn.

Ar ôl bwrw'i brentisieth gyda Ianto, fe ath Joshua mâs i Affrica lle cath e'i neud yn un o wleidyddion pwysica Simbabwe. A dyna pryd y dath John 'y mrawd i ddysgu iconomics. Fe gymerodd John le Joshua fel gwas bach Ianto Llwyn Crwn, a edrychodd e byth nôl wedyn. Fe basodd 'i B.Econ., a wedyn fe ath mâs i'r byd i ddysgu i'r gwahanol wledydd gyfrinache iconomics.

A gweud y gwir, yr unig wlad lle na chath e groeso odd Pryden, a dyna pam ŷn ni mewn cymint o dwll heddi. Petai John wrth y llyw fe fydde'n stori wahanol arno ni.

Dyna i chi'r adeg pan odd mam yn cadw un fuwch. Un dwrnod fe drigodd y fuwch, a 'na lle'r odd mam yn 'i dagre yn gofidio.

"O, 'mhlant bach i", mynte hi, "be newn ni, be newn ni?"

"Yfed te heb lâth", mynte John, "a safio'r arian rŷn ni'n 'i arbed drw beidio prynu llâth ar gyfer prynu buwch arall."

'Phryno ni byth fuwch, ond ma Lisi'n whâr a finne, hyd y dydd heddi, yn dal i yfed te heb lâth.

Job gynta John ar ôl gadel Llwyn Crwn odd gweitho yn ffatri gaws Carffili. A fe gath waith wrth 'i fodd –dim troi bydde na dim byd felny– ond dal llygod bach. Fe welodd John tu hwnt i bethe, uwchlaw cymylau amser, fel petai. Bob tro y bydde fe'n dal llygoden fach fe fydde fe'n torri'i chynffon hi. Fe gofiodd John, chweld, am y ffeils odd e'n arfer brynu yn shop Wilwitsh yn Aberteifi, y *Mouse Tail File –it profiles where a tension file cannot reach.*

A dyma John yn codi ffatri fowr ochor yn ochor â'r ffatri gaws i gynhyrchu Mows Teil Sŵp mâs o gynffonne'r llygod bach. Ac am 'i fenter a'i weledigeth fe anrhydeddwyd John â gradd B.Econ. gan Brifysgol Cymru.

Pwy ddath i glywed am hyn ond yr Arlywydd Amin o Iwganda. A dyma fe'n gwahodd John mâs i'w gynghori fe shwt odd setlo'r holl Saeson odd yn y wlad. Cyngor John odd iddo fe agor ffatri fowr ar gyfer gneud cawl mâs o geillie Saeson a'i werthu fe fel Jon Bwl's Bôls Sŵp.

A dyna John i chi. Ble bynnag ma'r Sais a'i fochyndra, fe fydd John 'na. Fe fuodd e mâs yn y Cod Wor. Fe fuodd e wedyn yn y Niw Hebridis, lle gorfododd e'r Suson a'r Ffrancwyr i baco lan.

Ond ma John yn barod i ymladd dros unrhyw anghyfiawnder. Pan glywodd e am y trafferthion yng Ngwlad Pwyl, a blagardieth y Rwshed fan'ny fe ath mâs. A dyw pawb ddim yn gwbod hyn, ond John 'y mrawd yw Lech Walesa. Ie, ffaith i chi, yr un person ŷn nhw.

Fe newidodd 'i enw, wrth gwrs. Whare teg, alle fe ddim galw'i hunan yn John Jones mâs yng Ngwlad Pwyl, alle fe nawr? A dyma John yn newid 'i enw i Lech Walesa, y Lech yn dod o enw pentre Trelech, er parch i Mari Fowr, ontefe, a'r Walesa o enw Cymru yn Susneg, wrth gwrs.

Ma John yn ddigon tebyg i fi yn 'i olwg, yn arbennig pan fydd e'n gwisgo'i gap gwyn, a dyma i chi lun o John yn annerch yr undebwyr yng Ngwlad Pwyl o dan yr enw Lech Walesa. Jiw, on'd yw e'n edrych yn dda?

Victory for Walesa?

Fe fuodd John, cyn hynny, mâs yn Ostrelia yn ymladd dros yr Aboridjinis, a thra buodd e draw 'co fe agorodd fusnes fel acowntant. Gan 'i fod e'n gymint o foi am iconomics fe feddyliodd John ma purion peth fydde rhoi'i gyfrwystra ariannol ar waith drw helpu pobol sy mewn trafferth gyda bois yr incom tacs.

Fe enillodd John un achos mowr lle'r odd ar ryw foi yn Sidni, boi o'r enw Bob Arkwright, arian mowr i ddyn y tacs. Ar ôl holi'r boi yn fanwl am 'i amgylchiade, dyma John yn 'i gynghori fe i sgrifennu llythyr fel hyn i ddyn yr incom tacs –

Dear Sir,

In 1922 I bought a sawmill on credit. In 1923, the bloody mill burned to the ground and didn't leave a damn thing. My boy wiped his arse with a rabbit skin which had rat poison on it. A tramp filled my daughter in, and I had to pay the doctor fifty pounds to keep the bastard from becoming a relative of mine.

In 1924 my wife ran away with an Irish sheep shearer and left me with a pair of twins as souvenirs.

In 1926 I married the housekeeper, to keep expenses down. But I had trouble in trying to fill her in. I went to the doctor, and he advised me that I should create some excitement around the time she was ready.

That night I went to bed with a shotgun. I stuck the shotgun out of the window and fired. She shit the bed, I ruptured myself and shot the best cow I ever owned.

So, trying to get money out of me is like trying to push butter up a porcupine's arse with a red hot needle.

Yours for more credit,
Bob Arkwright.

Ar ôl bod yn Ostrelia fe fuodd John mâs ar y Ffyclands. Fe sylweddolodd, chweld, y potenshal sy mewn cachu gwylanod, a dyma fe'n agor ffatri yn Gŵs Grîn, ffatri giwana. Hynny yw, rodd John yn troi cachu gwylan-od yn wrtaith. Ond fe ddalwd John gan y rhyfel, y Saeson ar un ochor iddo fe a'r Archentwyr ar yr ochor arall. Chi'n gweld, rodd ffatri John mor llwyddiannus fel bod y ddwy ochor yn fodlon mynd i ryfel i gâl 'u dwylo arni.

"Gan bwyll nawr, bois", mynte John, "howld on. Do's dim pwynt miwn colli bywyd dros dipyn o graig a chachu gwylanod. Diawl, ŷch chi fel dou ddyn moel yn ymladd dros grib."

A fe stopodd John y rhyfel. Fe fuodd John yn ddigon cyfrwys i daro bargen â'r ddwy ochor. Ond iddyn nhw gytuno i brynu miliwn o dunelli o giwana'r un bob blwyddyn yna fe alle Magi Thatshyr ar yr un llaw weud wrtho ni ym Mhryden ma hi odd wedi ennill tra galle Jenyral Galtieri ar y llaw arall weud wrth yr Archentwyr ma fe odd wedi ennill.

A dyna be ddigwyddodd. Fe dynnodd y ddwy ochor nôl. Ma Magi nawr yn gorfod cadw'i hochor hi o'r fargen, a chyn bo hir fe fyddwn ni i gyd lan hyd 'yn canol mewn cachu gwylanod, a bydd John yn ddyn cyfoethog.

A dyna lle dw i ddim yn deall Magi Thatshyr, ontefe. Rhyw dair blynedd nôl, fel rŷch chi'n cofio'n dda, pan githon ni eira mowr, fe benododd Magi Weinidog Eira, hynny yw Ministyr of Snô. A chyn gynted ag y dâth hwnnw, fe stopodd yr eira.

Nawr, un o gas bethe pobol yw mellt a thyrfe, ontefe. A dyma John 'y mrawd yn mynd at Magi ac yn gweud wrthi, os odd hi am ennill fôts, fe ddyle hi roi stop ar fellt a thyrfe. A'r ffordd ore i neud hynny fydde penodi Ministyr of Thyndyr, hynny yw, Gweinidog Tyrfe.

Ond fe wrthododd Magi wrando arno fe. Chi'n gwbod mor benstiff ma hi'n galler bod. Ond diawl, fe gollodd hi gyfle fanna. Chi'n gweld, ma'r mellt a'r tyrfe yn dilyn afonydd. A meddyliwch chi'r gwaith fydde'n câl 'i greu yn Nyffryn Teifi 'ma, lle ma diweithdra mor uchel.

Faint o bontydd sy 'na rhwng Pontrhydfendiged ac Aberteifi? Wel, dwsine. A phetai Magi wedi derbyn cynllun John fe alle hi gyflogi deg o bobol ar bob pont, pob un yn dal polyn hir ar gyfer stopo'r mellt rhag mynd ymhellach.

Gan bod Magi wedi gwrthod gwrando, fe bwdodd John, a fe ath draw i Corc lle'r agorodd e ffatri ddillad lle'r odd e'n cynhyrchu capie mynd-a-dod, hynny yw, capie gyda phig ar bob pen, a dwy fflap fach wedi 'u clymu â dolen fach ar y top.

Nawr do's dim byd yn newydd yn y cynllun, ond fe gafodd John brên wêf. Fe ffitodd ddou beg bach ar y fflaps a fe hysbysebodd y capie 'ma fel capie tarane, hynny yw, thyndyr caps. Pan fydde hi'n tyrfo, y cwbwl fydde'i angen fydde tynnu'r fflaps lawr, hwpo'r pegs mewn i'ch cluste a chlymu'r ddou linyn o dan 'ych gên. Wedyn fyddech chi ddim yn clywed y tyrfe. Hyfryd iawn, ontefe.

Pan odd e draw yn Corc fe ymunodd John â'r IRA fel Brigadier. Chi'n gweld, lle bynnag ma blagardieth, fan'ny ma John yn moyn bod.

Ar hyn o bryd ma fe'n dal mâs yng Ngwlad Pwyl, o dan enw Lech Walesa, ond ma fe'n dechre mynd yn anniddig. Chi'n gweld, ma fe wedi clywed am yr SDP, a phan glywodd e amdanyn nhw, fe ath yn wallgo.

Fe halodd lythyr i fi'n ddiweddar, ac yn y llythyr dyma fe'n gofyn i fi fel hyn –

"Wyt ti'n cofio Bob, yr hen gi mowr 'ny odd gen i slawer dydd? Wyt ti'n cofio mor gryf odd e, a fel odd e'n gafel mewn mochyn daear a'i falu fe'n yfflon? Wel, dyna beth dw i awydd 'i neud. Rwy am ddod draw ar ôl bois yr SDP a'u malu nhw'n rhacs."

A phetawn i yn lle Tom Ellis a Gwynoro Jones fe fyddwn i'n 'i baglu hi bant nawr cyn bod John yn cyrradd.

Un cas yw John.

Dyn a'i Ddyfeisgarwch

Cyn deall teithi meddwl John 'y mrawd yn iawn, a gwerthfawrogi'i dalent fowr e ma'n rhaid i chi glywed am strôc fowr John, y digwyddiad a brofodd i bawb faint o foi odd e. Ma'r hanes 'ny yn fyw o hyd yng nghefen gwlad, a mae e wedi'i gofnodi yn Llyfr Piws Ffostrasol fel y cedwir i'r oesoedd a ddêl y gwendid a fu, chwedl Saunders Lewis, ontefe.

Ond cyn sôn am orchest fowr John, purion peth fydde edrych nôl ar ddigwyddiad cynharach yn 'i fywyd e. Fe ddangosodd e'n gynnar iawn yn 'i fywyd 'i fod e'n mynd i fod yn foi a fydde'n otsh i'r cyffredin.

Rodd John ar y pryd yn hen fapa mowr wyth o'd yn 'i bram. A dim pram cyffredin odd un John, dim bocs orenjis ar whîls. O, na. Rodd pram John 'y mrawd yn bram â silfyr mownted spôcs and whîls.

Beth bynnag, dyna lle'r odd John, yn fapa mowr wyth o'd, â dymi yn 'i geg e, yn iste yn 'i bram ar fanc Penseiri Fowr a'i dad a'i fam, hmmmm, ie, dat a mam, ontefe, yn fisi wrth y gwair. Ond dyma Ifan Bach yn dod heibo. Blagard odd Ifan, a fe ddalodd ar 'i gyfle pan welodd e John, llond pram o tshap, a dyma Ifan yn hwpo'r pram lawr y gwared i'r llyn ar waelod y banc fan'ny, llyn dwfwn iawn, odd neb yn gwbod 'i ddyfnder e, pydew diwaelod.

A'r peth cynta glywodd pawb odd PLWMP! a'r llyn yn byrlymu. John 'y mrawd, y babi mowr, cyhyrog wedi disgyn i'r llyn! John 'y mrawd wedi boddi! Diawl, 'na dristwch. Fe ath pawb ohono ni nôl at y gwair yn ddiflas iawn.

Ond 'mhen rhyw ugen munud dyma nhad yn gweud,

"Beth yw'r broga mowr 'co sy'n dod i lan y llyn a dymi yn 'i geg?"

Ond dim broga odd 'na. John odd e. Rodd e wedi llwyddo i dorri'r straps odd yn 'i gadw fe lawr. A dyna i chi lawenydd. John wedi dod nôl. Ond fe fuodd mam, druan, yn llefen am wthnose wrth feddwl am y drychineb fowr o golli'r pram â'r silfyr mownted spôcs and whîls.

Nawr ma'n rhaid bod 'na ryw arwyddocad mowr yn y ffaith i John ddod nôl o farw i fyw. Rodd y Brenin Mowr, ma'n rhaid, wedi penderfynu cadw John at ryw bwrpas arbennig.

A phan odd e'n hen grwt ar 'i brifiant, fe welon ni i ba gyfeiriad odd John yn mynd. Rodd hyn yn y cyfnod 'ny pan ddath y peirianne unfraich 'ma mâs gynta, y mashîns 'ma lle bydde chi'n rhoi pishyn whech mewn, ac os o'ch chi'n lwcus, yn câl pishyn tair mâs, ontefe.

A gweud y gwir, dyma shwt yr adeiladodd John 'i gyfalaf. Fe ffeindiodd John ffordd o roi pishyn whech mewn a châl y cwbwl mâs. 'Na lle bydde fe, yn mynd o un dafarn i'r llall ar hyd a lled y wlad. Fydde fe byth yn galw yn yr un lle fwy nag unweth.

Ond beth odd 'i gyfrinach e, medde chi? Wel, chi'n gwbod am y pethe 'na sy gyda'r mynwod yn cadw'u bolie mewn? Gwast ŷn ni'n 'i alw fe, staes medde pobol erill, ontefe. Wel, rodd John yn rhoi'r pishyn whech mewn a hwpo'r stilen gwast 'ma ar 'i hôl hi. A rodd e'n câl y cyfan mâs.

Ond rodd John yn rhedeg mâs o stîls, ac am hynny dodd y merched bach tene 'ma â'r sgyrtie mini ddim yn apelio rhyw lawer at John. Rodd e'n mynd am y merched boliog 'ma, lle rodd deunydd gwast a stîls. Ond ar ôl câl gafel ynddyn nhw, dim 'u caru nhw fydde John ond whilo am y stîls gwast. Fe fydde fe'n rhoi'i law lan heibo'r benglin a whilo. Wedyn fe fydde fe'n câl gafel yng ngwaelod y gwast, a CLIC! Dyma'r stilen mâs.

Ond i ddod at saga fowr John. Rodd John mewn trwbwl, ond fe gofiodd am arwyddair y teulu, 'Os wyt ti byth mewn trwbwl, treia ddod mâs 'no fe.' Rodd hi'n nosweth 'lŷb a garw. Dim arian i dalu'r trên, dim arian i brynu bwyd a dim i dalu llety.

Dyma John yn gweud wrth 'i hunan, 'Rwy wedi bod yn flagard ac yn sgamp, yn byw ar 'yn wits drw 'mywyd,' mynte John. 'Ond os do i mâs o hyn a 'nghrôn yn iach rwy'n addo, o hyn mâs, y bydda i'n ddyn strêt, yn ddyn parchus. Ond rwy'n mynd i roi un cynnig arall arni.'

Rodd hi nawr yn hwyr yn y nos, a John, druan, yn 'lŷb at 'i grôn a bron llwgu. A dyma fe'n troi mewn i'r ffermdy cynta weldodd e a dyma fe'n cnoco ar y drws. Fe ddath gwraig y ffarmwr i'r drws a channwll yn 'i llaw i weld pwy alle fod yn cnoco mor hwyr yn y nos. A dyma John, fel gŵr bonheddig, yn tynnu'i gap.

"Wel, misys", mynte John, "fi yw'r dyn newydd sy'n teithio'r ardal 'ma. Rwy wedi cerdded o ffarm i ffarm heb fowr o lwc, a chi, misys, yw 'nghyfle ola i. Chi'n gweld, misys, fi yw'r Inspector Cachu Geir. Ma 'na arian yn y fusnes, misys, arian i chi ac arian i fi. Rwy'n talu coron y pownd am y cachu geir gore."

"Inspector bach", mynte'r fenyw, "Inspector bach, dewch mewn. Rwy'n falch 'ych gweld chi. Ma siwr o fod tynnell o'r stwff 'ma. Ond awn ni ddim lawr i'r tŷ geir heno yn y tywydd garw 'ma. Dewch draw at y tân."

Mewn wincad rodd John wedi tynnu'i ddillad glŷb, a 'na lle rodd e yn siwt ore'r ffarmwr, a'i drâd yn slipyrs y ffarmwr yn iste'n gynnes wrth y tân wedi byta pryd da o swper, ham a wye'r ffarmwr yn 'i fola fe a baco'r ffarmwr yn 'i bîb e.

"Nawr te, Inspector, ma'n well i chi gysgu 'ma heno", mynte'r wraig," a fe awn ni lawr i'r tŷ geir bore fory."

"Hyfryd iawn", mynte John, wrth gâl 'i arwen lan y stâr i'r gwely plu.

Bore trannoth, llond bola o frecwast –cig moch a wye, hei leiff, ontefe– a John wrth 'i fodd.

"Nawr te, misys", mynte John, "fe awn ni lawr nawr i weld y cachu geir."

Dyma nhw'n mynd lawr trw'r clos, heibo'r cartws. Bois bach, rodd y gart, y gambo a'r gist o'r golwg. Cachu geir ym mhobman. A'r beinder, dim ond top 'i sêt o odd yn y golwg.

Lawr â nhw trw'r sgybor. Cachu geir ym mhobman, a'r injan nithio, y Corbet –"six gold medals in the 1886 International Exhibition at Antwerp"– nawr cachu geir odd 'i unig ogoniant e. Dim ond yr handyl odd i weld.

Bant â nhw, lawr drw'r beudy. Cachu geir ym mhobman. Rodd cachu geir hyd yn o'd ar gefne'r da.

"Misys fach", mynte John, "ŷch chi siwr o fod wedi gneud mistêc, ma'ch estimet chi'n rhy isel. Dim tynnell sy 'ma. Ma'n agosach i fod yn ddeg tynnell."

"Inspector bach", mynte hithe, " 'dŷch chi ddim wedi gweld 'i hanner e 'to. Dewch lawr i'r tŷ geir. Yn fan'ny ma'r bylc."

A dyma nhw lawr i'r tŷ geir, i'r man iawn, i'r man lle'r odd y bylc. A dyna John, fel y dyle unrhyw Inspector 'i neud, yn cydio mewn rholyn bach o'r cachu geir a'i ddal e wrth 'i drwyn ac yn sniffan.

"Hmmmmm . . . ie, hyfryd iawn", mynte John, "ma cachu hyfryd 'ma, cachu ardderchog, a gweud y gwir, misys."

Dyma fe'n codi rholyn bach arall a gneud yr un peth. "Hmmmm . . . ardderchog, misys. Petawn i'n Sais fe ddweden bod cachu blydi marfylys 'ma."

Fel dyn yn deall 'i waith, fel dyn ag awdurdod ganddo, ontefe, dyma fe'n cydio yn y trydydd rholyn a'i ddal e wrth 'i drwyn. Ond dyma'i wedd e'n newid, dyma'i wep e'n cwmpo.

"Piti", mynte fe, "ie, piti garw, misys. Fe fydd hyn yn siom fowr i chi, fe fydd yn siom fowr i finne. Ma'n ddrwg iawn 'da fi weud wrtho chi, misys, ond ma gormod o gachu ceilogod ynddo fo."

SGATOLEG AG ATI

Odych chi wedi sylweddoli eriôd mor gyfoethog yw'r iaith Gwmrâg? Ma ambell i air yn cyfleu'n berffeth yr hyn 'dŷn ni'n 'i olygu, yn cyfleu mwy na hynny'n amal iawn. Hynny yw, do's dim angen 'i roi e mewn brawddeg. Ma fe'n sefyll yn gadarn ar 'i ben 'i hunan.

Enghraifft arbennig o dda sy'n dod i'm meddwl i nawr –fel y mae'n dod i'm cof, fel petai– yw'r gair hyfryd ac unigryw hwnnw 'caca'. Nawr, ma pawb yn gwbod taw cachu yw'r gair gramadegol gywir. Ond ma'n well 'da fi'r gair 'caca'. Ma fe'n gynhesach gair, on'd yw e, yn fwy gwerinol, a ma 'na fwy o agosatrwydd yn perthyn iddo fe.

Peth pwysig arall am y gair 'caca' yw 'i fod e'n air gweddus, yn air bach twt, addas, gair na fydde dim gas 'da chi 'i yngan e yng ngŵydd y teulu.

Fe alla i gofio'n dda pan own i, bachan bach o'r wlad, hen grwt diniwed wedi mynd lawr i witho i Gardydd, i'r ddinas fowr, bechadurus 'na. Susneg ym mhobman. Susneg ar y dde, Susneg ar y whîth – Susneg ym mhobman.

Dyma finne, yng nghanol y môr mowr hwn o Seisnigrwydd yn teimlo bod raid i fi ateb galwad natur. A dyma 'nelu at y tŷ bach agosa, wrth gwrs. Susneg odd ar y wal y tu fâs, a Susneg odd y cyfarwyddiade odd yn gweud wrthoch chi shwt, a phryd odd tynnu'r tshain. A Susneg hefyd odd y graffiti ar y wal. Ond ar gefen y drws, dyna i chi brofiad hyfryd odd gweld pennill bach Cwmrâg, pennill bach celfydd a thwt yn gweud fel hyn –

I'r llety hwn, pwy bynnag ddelo,
Gofaled wneud ei waith yn gryno,
Eisteddodd lawr a bod yn gymen
A pheidio caca ar y styllen.

Diawl, 'na i chi brofiad hyfryd, 'na i chi ffordd fach gynnes i neud boi bach o'r wlad i deimlo'n gartrefol yn y ddinas fowr! A'r gair 'caca' 'na, y gair bach syml 'na odd yn gyfrifol am y ffaith i fi aller setlo lawr yng Nghardydd.

A wyddoch chi, tra'n iste ar sêt y tŷ bach, dyna pryd y byddai'n câl syniade newydd, godidog. Codi yn y bore, brecwast a wedyn y tŷ bach. Diawl, fe fydda i'n hala deg mynud fan'ny'n smoco ffag. A dyna pryd bydd e'n dod –y syniad wy'n feddwl nawr, wrth gwrs. Ma fel tai rhwbeth yn dod drosta i pan fydda i'n iste ar sêt y tŷ bach y peth cynta yn y bore, a ma'n rhaid rhoi'r cwbwl lawr ar bapur ar unwaith. Profiad hyfryd.

Beth bynnag, wy'n cofio pan own i'n gwitho dan ddaear yn Cross Hands. Rodd whech ne' saith o gornwydydd wedi tyfu ar 'y mreichie i. Fe argymhellodd rhywun dabledi i fi lyncu, Hiws' Blyd Pils, pils wedi'u cynhyrchu 'da rhyw Mistyr Hiws o Lanelli.

Nawr, ar y bocs, lle'r odd y cyfarwydd-iade, rodd Hiws yn argymell y dylwn i gymryd dwy bilsen. Ond fe lynces i saith, hynny yw, un am bob cornwd. Saith cornwd, saith pilsen. Ma hynna'n gneud sens, on'd yw e?

Fe es i'r gwely, ond diawch eriôd, biti tri o'r gloch y bore dyma'r wasgfa fowr yn dod. Dodd dim bathrwm yn y tŷ lodjins 'ma. Cachu mewn bwced odd y drefen, bwced sinc o dan sêt bren yn nhop yr ardd, ontefe, dull o gachu y byddwn ni yn yr ardal hon yn 'i ddisgrifio fel gac yn y bwc.

Fe godes o'r gwely —dim pyjamas amdana i, dim ond pants. Fe groeses y landin gan bwyll bach, dim rhuthro, dim plygu gormod, rhag ofan, lawr y stâr ac ar draws y gegin, dim un cam yn hwy na'r llall.

Rodd contrôl gen i ar bethe nawr, rodd y cwbwl o dan feistroleth. Rown i'n fishtir ar y sefyllfa, hynny yw, rodd gen i ddisgybleth ar dwll 'y nhîn.

Ond pan agores i'r drws mâs fe weles 'i bod hi'n nosweth niwlog ac yn bwrw glaw mân, a dyma droi'n ôl i fystyn 'y nghôt fach, odd yn hongian tu ôl i'r drws. Ond mi estynes dipyn bach yn ormod, a dyma fi'n colli rheoleth. Brrrrrt! Dyma'r caca'n dod mâs.

Meddyliwch am y sefyllfa. Dyn bach o'r wlad yn aros mewn tŷ lodjins, ymhell o gartre a llond 'i bants e. Beth allwn i 'neud? Wel, rodd yn rhaid mynd mâs at y bwced. Wedyn dyma dynnu'r pants lawr a treio'i lanhau e. Ond rodd pils Mistyr Hiws wedi gwitho'n rhy dda, wedi gwitho yng ngwir ystyr y gair, ontefe.

Dyma fi'n gadel y pants fan'ny, a rhuthro lawr i lwybyr yr ardd at y domen ludw a chols. Fe isteddes ar y domen a thynnu 'mhenôl lan a lawr, fel hen gi yn treio câl gwared o lyngeren, ond taw treio câl gwared o'r caca own i, wrth gwrs.

Nôl â fi, ar ôl câl gwared o'r mochyndra mwya, at y gwaith mowr o olchi'r pants. Fe gydies yn y pants a dechre'i droi e rownd a rownd yn yr awyr. Fe gododd spîd a fe ath mâs o gontrol arna i. Fe hedfanodd o'n llaw i a disgyn yn glap ar dalcen tŷ drws nesa.

Os ewch chi byth i Gross Hands fe welwch y pants, ma nhw 'na o hyd ar dalcen y tŷ. Ma'r tŷ erbyn hyn wedi'i droi yn dafarn. A wyddoch chi beth yw enw'r dafarn? Wel, y *Pants Inn*.

Rodd y peth yn drychineb ar y pryd, ond wrth edrych yn ôl ma arna i ddyled fowr i Mistyr Hiws o Lanelli a'i Blyd Pils. Fe gês i wared o'r cornwydydd. Fentrodd dim un 'ny nhw nôl byth wedyn. A diolch i bils Mistyr Hiws hefyd fe agorwd tafarn, a'i henwi hi ar ôl 'y mhants i. Dyna i chi anrhydedd.

Fe ganodd Idwal Jones limric unwaith i foi odd yn diodde o gornwydydd —

Rodd 'na ffarmwr yn byw draw yn Llŷn
Â chornwydydd yn blatsh ar 'i dîn,
Ond ath draw i Bwllheli
I nôl bocsed o eli,
A nawr i chi, do's 'na ddim un.

Ond eli odd hwnnw. Blyd Pils Mistyr Hiws fu'n gyfrifol am 'y ngwella i.

Dyna i chi Ficer Penstwffwl wedyn. Chi wedi 'nghlywed i'n sôn llawer am y ficer o'r blân, wrth gwrs. Wel i chi, hen lanc odd y ficer, a gan bod 'dag e neb i neud y golchi iddo fe, yr hyn odd e'n 'i neud odd hala'i

ddillad i'r lôndri.

Un bore dydd Llun fe feddyliodd y ficer y dyle fe roi nodyn bach o eglurhad ar goler 'i grys wrth 'i hala fe. Hynny yw, rodd coler y crys yn rhy stiff. A dyma fe'n rhoi nodyn i'r lôndri ar y coler,

"Tipyn bach yn llai o startsh y tro nesa, plîs."

Bore dydd Gwener dyma'r crys yn dod nôl, yn hollol ddyran, a nodyn bach o'r lôndri ar 'i gynffon e'n gweud,

"Tipyn bach yn llai o gaca y tro nesa, plîs."

Wy'n cofio unwaith pan own i lawr yng Nghapel y Wîg yn gweitho stâr. Dew, odd hi'n ddwrnod difrifol o dwym, a dyma Tomos John, y bos, yn gweud wrtho i,

"Eirfryn," mynte fe –a dyna beth odd Tomos John yn 'y ngalw i wastad– "Eirfryn, cer i moyn dŵr i fi yn y thyrmo fflasg, boi."

Lawr â fi i'r Tŷ Capel i moyn dŵr, a rhoi'r thyrmo i'r fenyw. Ond y peth cynta nath hi odd rhoi dou baced o sôls yn y thyrmo, a'i llanw hi lan â dŵr.

Wel, dyma fi'n mynd nôl, a rhoi'r thyrmo i Tomos John, a dyma fe'n yfed y dŵr lawr ar 'i ben. Fe ddath at y gwaelodion, at y sôls, a chal llond ceg o'r stwff 'ma, a fan'ny odd e'n poeru.

"Ach!" mynte fe, "lle cest ti hwn, boi?"

Wel, fe ath hanner awr heibo, a own i'n dechre smelo gwynt cachu, dim rhyw bwp fach, ond hen ddrewdod diflas, a hwnnw'n câl 'i ddilyn 'da rhyw rechfeydd dychrynllyd fel tase côr yn canu.

Yn y man dyma fi'n gweld Tomos John yn dadneud galwsis 'i ofyrôls a'i felt, a dyma fe'n rhedeg drw'r câ fel taran. Fe stopodd a fe gwtshodd lawr tu ôl i dri llwyn o ddrain a weiren bigog, wrth ben yr hewl fowr.

Pwy odd yn mynd heibo ar y pryd ond plant ar 'u ffordd i Wersyll Llangrannog, a beth welon nhw wrth 'u penne nhw odd wyneb mowr heb un trwyn, hynny yw, tîn Tomos John. Rodd y sôls wedi gweitho. 'Na i chi brofiad ofnadw i blant diniwed, ontefe?

Draw yn ardal Cei Newydd ffor 'na wedyn rodd 'na foi a odd yn meindo busnes pawb. Sâr côd odd e, a fydde fe'n iste ar y sgwâr bob dydd yn gwrando ar stori hwn a'r llall. Rodd e gymint o ofan colli stori fel y bydde fe'n ymladd yn erbyn gorffod mynd adre i'r tŷ bach. A dyma un o'r bois lleol yn sgrifennu fel hyn amdano fe,

A glywsoch chwi eleni
Fod casgliad yn y Gwenlli,
I godi closet ar y sgwâr
I Shaci sâr gâl cachu.

Ond ma'n well 'da fi'r englynion clasurol 'na i'r tŷ bach a sgrifennwd gan fardd anhysbys mewn darlith sych 'da'r Town and Cyntri Planning ar y pwysigrwydd o godi tai bach cyhoeddus. Nawr, ma urddas yn perthyn i'r rhein, tipyn o geidwadeth iach,

Y tŷ bach, lle i gachu –un pren
'Nhop yr ardd yn llechu;
O'i fewn, ochneidio fu
A chŵyn tair rhech yn torri.

Mae y saer a'i mesurodd –y dalent
A'r dwylo a'i cododd?
Yn sownd heb blân, fe'i plannodd,
A'i raen i'w wyneb a rodd.

Yn wir, syr, ofer siarad –am degwch
Cymdogol adeilad;
Mi awn yn ôl mewn eiliad
O wychder laf i gachdai'r wlad.

Ond sôn am gaca own i, ontefe, y gair

bach hyfryd 'na. A gair arall sy'n deillio o'r un gwraidd, wrth gwrs, yw 'cachwr'. A dyna i chi air disgrifiadol da. Pan bo ni am ddisgrifio dyn gwael, rhywun sy'n flagard ac yn sgamp, ma 'cachwr' yn air perffeth, on'd yw e? Ma rhwbeth arbennig yn 'i sŵn e.

Dyna i chi'r Sais, er enghraifft, wel, ma'r disgrifiad yn 'i ddarlunio fe'n berffeth. A pham lai? Wedi'r cwbwl, ma'r Suson wedi galw'u brenhinodd 'u hunen yn gachwyr. Dyna i chi Ritshyrd ddy Tyrd, Henri ddy Tyrd a Jiorj ddy Tyrd. Ac os cewn ni Lisabeth arall, wel Lisabeth ddy Tyrd fydd honno, ontefe.

A fe fydde Jiorj ddy Tyrd yn ddisgrifiad da o Jiorj Tomos, Llefarydd Tŷ'r Cyffredin. Nawr, peidwch â 'nghamddeall i. Dw i ddim yn awgrymu am fynud bod Jiorj yn gachwr. Na, ma Jiorj yn hen foi ffein.

Y rheswm dw i'n gweud y bydde Jiorj ddy Tyrd yn enw da arno fe yw hyn. Chi'n gweld, ma gyda Jiorj swyddogeth arall, ar wahân i waeddu "Ordyr! Ordyr!" Cyn bod y Tŷ'n rhannu ar gyfer pleidleisio ma Jiorj yn mynd ati, ymlân llaw, i weld i bwy ochor ma'r bleidlais yn debyg o fynd.

A ma gydag e ffordd arbennig iawn i 'neud hyn. Ma fe'n mynd rownd i'r tai bach ar ôl i'r Aelode Seneddol fod yn caca. A fel ŷch chi'n gwbod, pan fyddwch chi'n caca, ma fe weithie'n mynd lawr yn syth, PLWMP! Yna, bryd arall, ma fe'n gogwyddo i'r whith ne' i'r dde.

Jobyn Jiorj yw mynd rownd i archwilio'r tai bach i weld i ble ma'r gogwydd, i'r dde, i'r whith, ne' yn y canol.

Ond os ma ffrwyth dolur rhydd sy'n y pot, yna ma Jiorj yn gwbod ma rhyw gachwr o'r SDP sy wedi bod 'na.

SEICOLEG

Rwy'n hoffi mynd nôl weithe ar hyd hen lwybre hanes. Olrhain hanes Cymru, ontefe. Hyfryd iawn. Ond dewch nôl 'da fi nawr ymhellach byth, i Wlad Groeg, brasgamu nôl drw'r canrifodd, fel petai, at ddyddie'r meddylwyr mowr, ymron beder canrif cyn Crist.

Un dydd dyma ryw sbrigyn o fyfyriwr yn mentro gweud wrth Socrates, yn ddigon haerllug i weud wrth athronydd mwya'r byd,

"Socrates", mynte fe, "dwyt ti'n deall dim."

Diawl, 'na i chi foi digwilydd, 'na i chi foi powld. Ond ath Socrates ddim yn gas o gwbwl. Gollodd e mo'i dymer.

"Wyt ti'n iawn", mynte Soctrates, "wyt ti'n berffeth iawn. Dydw i na ti yn deall dim. Ond y gwahanieth mowr rhyngddon ni yw hyn –rwy i'n gwbod hynny a tithe ddim."

Dyna i chi ddyn odd yn deall pethe. Dyna i chi ddyn yn defnyddio seicoleg. A ma seicoleg yn beth mowr.

Rodd Socrates yn deall, yn 'i adnabod 'i hunan ac yn gwbod am 'i wendide, chweld. Mae'n ôl reit i chi dwyllo rhywun arall. Ond pan dwyllwch chi'ch hunan, mae'n ddobinô arnoch chi.

Rwy'n cofio câl gwahoddiad i gymryd rhan mewn cyngerdd, a'r cyngerdd hwnnw'n câl 'i gynnal mewn capel. Rodd lot fowr wedi dod at 'i gilydd 'na, a'r rhan fwya 'nyn nhw wedi dod gan obeitho 'ngweld i'n mynd dros ben llestri, yn gneud ffŵl o'n hunan.

Ond cyn mynd mlân i'r sêt fowr i annerch dyma ryw hen foi yn 'y ngalw i i'r naill ochor ac yn rhoi cyngor i fi.

"Eirwyn", mynte fe, "cofia hyn. Nid yr hyn wyt ti'n 'i weud sy'n bwysig, ond yr hyn wyt ti'n peido'i weud."

'Na i chi gyngor mowr, ontefe, a dw i'n ceisio cofio hynna bob amser. Ac yn amal pan fydda i'n cnoi cil ar fywyd, yn meddwl am y peth hyn a'r peth arall, ma eiliad yn dod pan bo chi'n dod yn ymwybodol o'ch hunan. A 'na i chi ddiflastod wedyn. Yr hen hen ymwybyddieth 'ma. Pan ddaw honno, ma hi wedi bennu arnoch chi.

Chi'n gweld, os ŷch chi'n ymwybodol bo chi'n Gymro, 'dŷch chi'n ymwybodol hefyd eich bo chi'n perthyn i genedl ddarostyngedig. Ond ma'n rhaid i ni wynebu'r ffaith, wynebu realiti bywyd. Fel y gwedodd Wil Bryan,

"Beth bynnag wnei di, lle bynnag fyddi di, bydd yn *true to nature*."

Hynny yw, bydd yn di dy hunan, gwed y gwir a wyneba fywyd. A dyna beth yw seicoleg, nabod dy hunan, a defnyddio dy adnabyddieth ohonot ti dy hunan i nabod pobol erill. A chofia, os byddi di byth mewn trwbwl, treia ddod mâs 'no fe. Os nad wyt ti'n bwysig, edrych yn bwysig. Os nad wyt gryf, bydd gyfrwys.

Dyna i chi'r Sais, er enghraifft. Os gwedwch chi'r gwir plaen wrth y dyn, chredith e ddim 'no chi. Ond palwch gelwydde wrtho fe a ma fe'n llyncu'r cwbwl.

Rown i yn y dafarn yn Talgarreg un nosweth, a rodd Sais 'na yn canmol rhen brins, rhen Garlo. "Neis boi", mynte fe, "feri gwd widd horsis."

A dyma finne'n cytuno ag e a gweud, "Iw ar cweit reit. Hi is e ffycin gwd joci."

Hynny yw, tawn i wedi gweud wrth y Sais nad odd Carlo'n dda i ddiawl o ddim fe fydde 'na yffarn o le 'cw. Ond rown i'n 'i weindo fe lan, chweld, ac erbyn diwedd y nos, ac ynte wedi câl llond bola o gwrw rodd e'n gweud fod Carlo yn blydi iwsles bygyr. Dodd y diawl dwl ddim yn cytuno â'r hyn own i wedi'i weud. Ond fe ddath i gytuno â'r hyn own i'n gredu. Hynny yw, rodd e wedi dod i'r un man â fi.

Ma 'na hen ddywediad Cwmrâg sy'n gweud, "Ara bach a bob yn dipyn 'ma hwpo bys i dîn gwybedyn." A ma fe'n berffeth wir.

A ma seicoleg yn bwysig, on'd yw e? A fuodd neb eriôd yn deall seicoleg yn well na Iesu Grist. Meddyliwch amdano fe pan gath e wahoddiad i briodas, fe a Nathanael a Phedr a'r bois. Ond dyma rywrai yn treio'i berswadio fe i beido â mynd.

"Dim ond blagards, dim ond gwehilion cymdeithas sy'n mynd 'na," mynte nhw wrtho fe. "Dim ond yfed a meddwi sy'n mynd mlân 'na. Paid â mynd."

"Mmmmm, gan bwyll nawr", mynte Iesu Grist. "Gyda'r gwehilion, gyda'r bobol 'ny sy'n gwbod dim byd amgenach gyda rheiny wy'n moyn bod."

A mynd nath e. Ond pan gyrhaeddodd e rodd pawb yn ddiflas, pawb â wynebe hir.

"Be sy'n bod?" gofynnodd Iesu Grist. "Pam ma pawb mor ddiflas?"

"Ow! Ow!", mynte nhw, "ma'r gwin wedi darfod."

Ond dyma Iesu Grist yn rhoi gorchymyn iddyn nhw i nôl y piseri gwag a'u llanw nhw â dŵr. A dyma Iesu Grist yn edrych ar y dŵr, a dyma'r dŵr yn troi'n win, y dŵr, chwedl Dafydd Ifans Ffynnon-henri, yn gwrido fel wyneb merch wrth weld 'i chariad.

A dyma lawenydd yn dychwelyd i'r wledd, a phawb yn hapus unwaith eto, ontefe. A ma'r stori fach 'na yn profi fod Iesu Grist nid yn unig y pregethwr mwya, y meddyg mwya a'r seicolegwr mwya a welodd y byd 'ma eriôd. Fe hefyd odd y briwyr mwya.

Fe synnech chi pa mor bwysig yw seicoleg. Dyna i chi fam-yng-nghyfreth Twm, er enghraifft. Dodd Ffroid ddim yndi pan odd mam-yng-nghyfreth Twm yn dechre ar 'i phethe.

Ond fe fydde gair bach o eglurhad yn burion peth yn y fan hyn. Nawr rodd Twm a'i wraig a'i fam-yng-nghyfreth yn byw mewn tŷ lle'r own i'n lodjo lawr yn y sowth. Ac un dwrnod dyma Twm yn cyhoeddi, yn wyneb haul a llygad goleuni, 'i fod e wedi câl llond bola ar 'i wraig a'i fam-yng-nghyfreth a'i fod e'n bwriadu codi'i bac a'i baglu hi bant.

Fe ath Twm i nôl y lori fach, a dyma fe'n tynnu lan y tu fâs i'r tŷ. Rodd golwg go dlawd ar y lori, dim ond un drws iddi, a'r gêrs yn cratshan. Ond beth bynnag, dyma

BBX 222

Twm yn cyrradd, a'r corn yn mynd "bâp-bâp" er mwyn cyhoeddi 'i fod e wedi cyrradd.

Ar alwad y corn dyma ni'r lodjyrs yn dechre cario eiddo Twm mâs i'r lori, llun anti Leisa, yr ornaments odd Twm wedi 'u câl ar ôl rhen fenyw 'i fam, 'i gwpwrth bach e, 'i stôl fach e a'i dacle shafo fe. Hynny yw, 'i drysore bach e i gyd.

Pan odd popeth wedi'i lwytho dyma Twm mewn i'r cab, a dyma ninne'r lodjyrs i gyd yn mynd draw i ysgwyd llaw ag e a dymuno'n dda iddo fe ac i weud gwd bei wrth yr hen foi ffein 'ma.

Ond cyn i Twm adel dyma'i fam-yng-nghyfreth e'n mynd draw a gweud wrtho fe, wrth ffarwelio ag e,

"Gwd bei, Tom," medde hi. "Ond cofiwch chi, Tom, os ŷch chi'n mynd, sa chi'n dod nôl."

Ond mynd 'nath Twm, gan wasgu corn y lori fach "bâp-bâp" wrth adel. Dyma ni'r lodjyrs yn mynd nôl at 'yn te. Ond jiw, 'mhen llai na hanner awr dyma ni'n clywed sŵn cratshan gêrs, a sŵn corn yn mynd "bâp-bâp". Mâs â ni i weld beth odd 'na. Twm odd 'na, wedi dod nôl. Rodd e wedi newid 'i feddwl. Hynny yw, rodd geirie'i fam-yng-nghyfreth wedi whare cymint ar 'i feddwl e fel iddo fe droi'n gachgi.

Dyma ninne'r lodjyrs yn mynd mâs i helpu Twm i symud nôl mewn. Cario llun anti Leisa nôl a'i roi e ar y silff-ben-tân, cario ornaments 'i fam a'u rhoi nhw nôl ar y seidbord, cario'r gwpwrth e a'i stôl e nôl, cario'i dacle shafo fe nôl, a'u rhoi nhw'n ofalus yn y drôr.

A wyddoch chi, byth oddi ar y dwrnod hwnnw fe fuodd hedd a thangnefedd yn teyrnasu ar yr aelwyd. A soniodd Twm byth wedyn am fynd bant.

Dyna i chi Sara wedyn. Nawr rodd ise seicoleg arbennig i ddeall Sara. Morwn odd hi ar ffarm yn ymyl Talgarreg. Merch dda, yn gweitho'n galed ac yn gydwybodol. Ond weithe fe fydde Sara'n câl pwl bach o ddiogi, a bryd 'ny fydde hi'n gneud dim.

Ond rodd rhen ffarmwr, 'i mistir hi, yn dipyn o seicolegwr, chweld, a dyma fe'n gofyn iddo fe'i hunan pam odd Sara weithe'n gweitho'n galed ond bryd arall yn gneud dim. A dyma fe'n sylweddoli fod Sara, bob tro y bydde hi'n gweitho'n galed, yn hapus ac yn canu a whislan tra wrth 'i gwaith. A dyma fe'n sylweddoli hefyd fod Sara, bob tro y bydde hi'n hapus, â chariad 'da hi. Hynny yw, bob tro y bydde Sara'n câl dyn, dodd dim gwell morwn i gâl.

Dyma'r hen ffarmwr yn penderfynu rhoi prawf ar 'i ddamcaniaeth fowr. Un tro, pan odd Sara ar 'i gwaetha, yn gneud dim byd ond conan a chico'r cathod a'r cŵn, dyma fe lawr i'r dafarn i gâl gair â Joni. A dyma fe'n selio bargen â Joni ac yn talu peint iddo fe ar yr amod fod hwnnw'n dod nôl gydag e i roi tro bach am Sara.

Nôl a nhw, a dyma Joni'n mynd lawr i'r shed wair lle'r odd Sara'n iste ar 'i thîn ar ben bêl o wair yn gneud dim. Pan welodd hi Joni, dyma hi'n llonni ar unwaith. A dyma hi draw at Joni a gofyn iddo fe, cyn iddo fe gâl amser i'w chyfarch hi,

"Shwt ŷch chi'n 'i moyn hi, Joni? Ar unwaith, ne' sgyffyl fach yn gynta?"

Wel, 'na i chi gynnig ardderchog, ontefe? 'Na i chi ddewis. 'Sneb yn gofyn y fath gwestiwn i chi heddi, yn nagos?

"Wel", mynte Joni, "sgyffl bach 'te plîs."

A dyma nhw bant. Ffrwgwd a thwrio a rowlo a gwingo yn y gwair rhydd.

Wel, dyna'r noson drosodd, ym mhen hir a hwyr. Ac erbyn bore drannoth rodd seicoleg yr hen ffarmwr yn dwyn ffrwyth. Am whech o'r gloch y bore dyma fe'n câl 'i ddihuno gan sŵn whislan a chanu ar y clos. A jiw, pan gododd e am hanner awr wedi whech dyma fe'n mynd mâs i'r clos a gweld fod y beudy wedi'i garthu, y twlc wedi 'i garthu a dyna lle'r odd Sara wrthi'n canu a whislan yn hapus wrth dwtio'r domen. Seicoleg yn gweitho, ontefe.

A chymerwch y byd hysbysebu. Seicoleg yw hwnna i gyd, wrth gwrs. A do's dim byd yn newydd mewn defnyddio seicoleg wrth hysbysebu.

Rwy'n cofio nôl yn y tridege pan odd dwy siop yn y pentre, un lan ar dop y rhiw a'r llall lawr yn y gwaelod. Un dwrnod dyma drafeilwr yn galw yn y siop isa gyda math newydd o sebon o'r enw Niw Pin Sôp. Ac er mwyn tynnu sylw at y sebon rhyfeddol 'ma dyma fe'n rhoi llun mowr carbord i'r siopwr, ac yn y llun rodd merch ifanc hyd 'i bogel mewn twba, yn ffroth i gyd, gyda chath o dan 'i chesel. Ac ar waelod y llun rodd pennill bach Susneg hyfryd yn mynd fel hyn,

Ai'm jyst sicstin and ffwl of hôp,
Ai wash mai pwsi widd Niw Pin Sôp.

Jiw, diolch i'r hysbyseb rodd rhen siopwr yn gwerthu sebon fel y boi, pawb yn dod 'na, yn tyrru o bob cyfeiriad, i brynu'r Niw Pin Sôp 'ma. Ond diawl, rodd pethe'n wahanol yn y siop ar dop y rhiw. Rhen siopwr 'ny yn gwerthu dim un bar o sebon.

Ond dyma'r hen siopwr yn câl brein wêf. Rhyw fore Sadwrn fe welodd hen dramp yn mynd heibo, a dyma fe'n galw ar 'i ôl e a mynd ag e mewn i'r siop. Fe wthiodd bishyn hanner coron i law'r tramp a gofyn iddo fe a fydde fe'n mindo sefyll yn ffenest y siop drw'r dydd. Fe gytunodd rhen dramp, a dyna lle buodd e'n sefyll gyda cheilog o dan 'i gesel a phob math o fare o sebon bwyti'i drâd e. Ac ar goler 'i gôt e rodd pennill bach yn gweud,

Ai'm eiti ffôr, widdowt mytsh hôp,
Ai wash mai coc with eni old sôp.

YR ANIAN DDIREIDUS

Rodd 'na ryw Sais yn nhafarn Talgarreg rhyw whech mlynedd nôl, hen foi digon dymunol –ma ambell un i gâl– a rodd 'i ddaliade fe rwbeth yn debyg i 'naliade i, ontefe. Er bod bwgan yr iaith yn dod rhyngon ni rodd y ddou 'no ni yn deall 'yn gilydd.

Ar ôl siarad am sbel, a châl tipyn o hwyl gyda'n gilydd dyma'r Sais yn troi ata i a gweud,

"I understand that you've written a book."

A dyma finne'n cadarnhau, ac yn teimlo'n dipyn o foi, nawr. Rodd hi'n amlwg bod y dyn yn ddyn deallus, ontefe, yn ddyn odd yn 'y mharchu i.

A dyma'r Sais yn mynd mlân,

"I also understand", mynte fe, *"that you're the village character."*

Ond cyn i fi gâl cyfle i'w ateb e, dyma foi lleol fan'ny wrth y bar yn troi ato fe a gweud,

"Ha, you should have said that he's the village idiot."

A dyma fe'n wherthin nes bod y dagre'n twmblo lawr 'i foche fe, wherthin nes bod e'n dost. A fan'ny buodd e, am bwyti deg mynud, yn rowlo wherthin wrth 'i hunan, dim ond fe.

Nawr rodd y boi 'na wedi câl pleser mowr, rodd e'n teimlo'i fod e wedi cyflawni campwaith mewn bywyd. Hynny yw, rodd e wedi taro tant, rodd e wedi gweud rhwbeth odd e ise'i weud amdana i. Fe gath e'i gyfle, a fe ddalodd arno fe i neud strôc. Ar ôl gweud yr hyn nath e, rodd e'n teimlo y galle fe farw'n hapus.

Diawl, a gweud y gwir, fues i bwyti torri mâs i wherthin gydag e. Ond yr hyn sy'n bwysig, rodd y boi 'ma, wrth neud sbort am 'y mhen i, wedi câl modd i fyw. Iddo fe, rodd y peth yn ddoniol. Dodd neb arall yn wherthin, ond rodd e'n wherthin.

A dyna beth sy'n bwysig cyn belled ag y ma hiwmor yn y cwestiwn. Fel gwedodd rhywun, 'dŷn ni i gyd ddim yn gwirioni run fath.

A ma digrifwch yn rwbeth rhyfedd, ond yw e? Ma digrifwch yn rwbeth na allwch chi ddim 'i ddiffinio fe. Ma pob un â'i chwaeth. Yn ôl Idwal Jones, dodd y Cymry ddim yn cymryd 'u digrifwch yn ddigon o ddifri. Dyna i chi Hazlitt wedyn. Fe wedodd hwnnw, *"Wit is the salt of conversation, but not the food."*

Wel, pwy sy i weud pwy sy'n iawn, ontefe? I fi, hiwmor iach sy'n bwysig, a hwnnw'n hiwmor naturiol sy'n deillio o'r gymdeithas leol. Dyna i chi'r criw o feirdd odd yn byw yn ardal Talsarn. Fe fydden nhw'n cwrdd bob nos yn y Bliw Bel yn Llunden Fach lle bydden nhw'n sgrifennu rhigyme am 'i gilydd ac am bobol leol erill. Ymhlith y beirdd lleol 'ma rodd bois fel Shaci Penbryn a Jac Tŷ Tiler.

Ma 'na stori am un o'r bois 'ma yn hala darlun, hynny yw, ffoto o'i hunan i'w wedjen, a nodyn bach ar gefen y ffoto yn gweud,

Ti gei fy narlun eto,
Un gwell na hwn, gobeithio,
Cei gario hwnnw yn dy gôl,
Gwaith dwy benôl yn cydio.

Dyna i chi rigwm arall nath un 'ny nhw wedyn, a hynny mewn priodas wrth edrych ar wisg y briodasferch,

Rhyfedd iawn yw'r gwahanol liwie
Sy 'da'r merched ar 'u peise;
Er hyn i gyd run man ma'r mwng
A'r cysur rhwng y coese.

Stori dda yw honno wedyn am Jac Tŷ Tiler, pan odd e'n waddotwr. Rodd Jac yn câl hyn a hyn am bob gwadden –hynny yw, twrch daear– y bydde fe'n ddal. Rodd 'da Jac gender o'r enw Benjamin, a fe stopodd Benjamin e rhag mynd i'r câ i ddal gwaddod. Ateb Jac odd cyfansoddi rhigwm,

Dymuniad Jac Tŷ Tiler
I Benjamin 'i gender
Am wrthod iddo ddala'r twrch
Yw na chaiff ffwrch fforefer.

'Na i chi beth od, ontefe, bod hiwmor felna yn bodoli yn y rhan 'na o Ddyffryn Aeron er nad yw e ond chydig filltirodd o Langeitho, a odd yn gartre i Fethodistieth a phiwritanieth.

Cofiwch, ma 'na ambell i stori ddoniol wedi deillio o biwritanieth, o'n anghydffurfieth ni. Meddyliwch am yr adeg pan odd dros dri chwarter gwerin Cymru yn anllythrennog. Ron nhw'n ddigon deallus, ond bod nhw'n ffeilu darllen.

Y drefen yn y capel bryd 'ny odd i'r pregethwr, a odd yn galler darllen, wrth, gwrs, adrodd emyn, y pregethwr yn adrodd llinell, a'r gynulleidfa'n 'i chanu ar 'i ôl e, ling-di-long. Wedyn fe fydde'r pregethwr yn adrodd yr ail linell, a'r gynulleidfa'n canu honno wedyn, ac yn y blân. Hyfryd iawn, ontefe.

Un anfantes fowr i'r pregethwr odd diffyg gole. Dodd dim letric bryd 'ny, wrth gwrs, dim ond gole lamp, ne' gannwll. Wel, i chi, dyma'r pregethwr 'ma yn mynd ati i gyhoeddi emyn, ond rodd y gole'n wael. A dyma fe'n gweud wrth y gynulleidfa,

"Wela i ddim â'r sbectol hon, mae'n rhy dywyll."

A dyma'r gynulleidfa yn canu gyda'i gilydd ar y dôn "Llanfair",

"Wel . . . a i . . . ddim . . . â'r sbec . . . to
. . . ol hon,
Ma . . . a . . . ae'n rhy . . . y dyw . . . yll."

Fe wylltiodd yr hen bregethwr, a dyma fe'n gwaeddu ar y gynulleidfa,

"Nid 'na'r emyn rois i mâs, canwch bant, y tacle cas."

A dyma'r gynulleidfa'n dilyn,

"Nid 'na'r em . . . yn rois i . . . i mâs,
Ca . . . nwch bant y . . . y tac . . . le cas."

Whare teg iddyn nhw, ontefe. Ron nhw'n gwbwl naturiol, ac yn gwbwl ddiragrith, ond o'n nhw? Diffuantrwydd, dyna'r peth. A dyna i chi beth odd 'da Idwal Jones mewn golwg yn "Pobol yr Ymylon", diffuantrwydd y bobol gyffredin ar y naill law a'r rhagrith mowr 'ma ar y llaw arall. Dyna i chi gymeriad mowr y ddrama, Malachi Jones.

"O, Dafydd", mynte fe, "wyddost ti,

Dafydd, rodd hen foi 'nhad yn canu emyne William Williams, Pantycelyn. Rodd e hyd yn o'd yn canu emyne Pantycelyn wrth ddwyn ffowls."

A dyna i chi'r pennill bach 'na sgrifennodd Idwal wedyn,

Deued haf a deued hydref,
Beth yw hynny lle bo hwyl?
Gall pob peth sy'n edrych adref
Pryd y mynno gadw gŵyl.

Yr un syniad sy yn yr hen bennill bach 'ny o waith Hazlitt, a gyfieithwd i'r Gwmrâg,

Lle rhodia'r teg, lle chwardd yr hwyl
A ffeindrwydd ddeil yn gryno,
Er im dramwy'r ddaear gron,
Fy nghalon erys yno.

Ie, pethe bach felna sy'n gneud perffeithrwydd, ond nid peth bach yw perffeithrwydd.

Sôn own i am hiwmor iach, yr hiwmor 'ny sy'n deillio o'r gymdeithas leol, sef y werin gyffredin, ffraeth, ontefe. Alla i ddim meddwl am ddeuawd mwy doniol na Capten Jêms, ne' Dai Graig Villa i'r bobol leol, a Twm Gelli Fach, 'i gyfaill. Rodd Twm bob amser yn gneud 'i ore glas i dynnu côs y Capten, a hala hwnnw'n wallgo.

Hen golier odd Dai Graig Villa, wedi dod nôl i ofalu ar ôl hen foi 'i dad. Rodd Dai wrth 'i fodd yn câl 'i alw'n Capten. Cofiwch dodd e ddim wedi bod yn Gapten eriod, ar y môr nag yn y pwll glo. Ond rodd e'n credu bod rhyw urddas yn perthyn i'r teitl. A rodd e wrth 'i fodd yn rhoi'r argraff 'i fod e wedi bod yn Gapten llong. Tai rhywun yn gofyn iddo fe,

"Fuoch chi ar longe mowr, Capten?"

"Dew, do", fydde'r Capten yn ateb. "Fe fues i ar Enid Mary, fe fues i ar Sally Ann."

Ond dim Capten llong odd e, wrth gwrs, ond Capten menywod. Pan fuodd tad y Capten farw fe ddath y doctor rownd. A dyma fe'n gofyn i'r Capten pwy fath o fwyd odd e wedi'i roi i'r hen foi 'i dad.

"Fe rodes i gwêcyr ôts iddo fe i frecwast," mynte fe, "fe rodes i gwêcyr ôts yn de deg iddo fe, cwêcyr ôts i gino, cwêcyr ôts i de a cwêcyr ôts i swper."

"Wel", mynte'r doctor yn dawel –dodd e ddim am gythruddo'r Capten, odd e nawr, "wel, dyw gormod o gwêcyr ôts ddim yn dda i neb."

Rodd cath 'da'r Capten o'r enw Lil, a rodd e'n meddwl y byd 'ny. Wel, un nosweth rodd Twm Gelli Fach yn cysgu 'da'r Capten yn Graig Villa. Rodd Twm yn dipyn o rôg, yn dipyn o flagard a phan welodd e Lil yn gorwedd wrth drâd y gwely dyma Twm yn stretsho'i goese a gwasgu Lil nes bod 'i pherfedd hi mâs.

Pan welodd y Capten hyn, fe ath yn ffeit yn y gwely rhyngddo fe a Twm. Whare teg, rodd Lil fel 'i ddou lygad e.

Bryd arall wedyn fe ath Twm i gwmpo mâs â rhyw foi o achos menyw. Hynny yw, rodd Twm yn cwrsho menyw a odd y boi arall 'ma yn 'i ffansïo hi hefyd. A dyma hi'n ffeit. A medde'r Capten, sef Dai Graig Villa wrth annog Twm ymlân,

"Bwr e, Twm, ma'r Graig y tu ôl i ti."

"Craig o gachu, myn yffarn i," mynte Twm.

Ond y stori fwya am y Capten a Twm odd honno am y bôls. Nawr, rodd bois yr hewl wedi gadel stîm rolyr ddim ymhell o Graig Villa, a reit wrth ochor y stîm rolyr rodd tomen o lo.

Wel, dyma Twm yn mynd â bwced, a thwll yn 'i waelod e, a'i lanw fe â glo mân y

Cownsil. Rodd hi wedi bod yn bwrw eira, a dyma Twm, nawr, yn cerdded â'r bwceded glo o'r domen fan'ny draw at ddrws ffrynt Graig Villa, gan adel llwybyr du ar 'i ôl yn yr eira fel bod y Capten yn câl y bai am ddwgid glo.

Nawr, rodd y Capten a Twm wedi bod wrthi'n gneud bôls, hynny yw, cymysgu glo mân a chlai a gneud peli bach mâs 'nyn nhw. Un nosweth ole leuad dyma Twm yn mynd mewn i'r tŷ glo a dwgid y bôls a'u gosod nhw'n grugie bach ar hyd y clos, crugyn bach fan hyn a chrugyn bach fan draw. Ac wrth fynd adre dyma fe'n gadel yr iet ar agor.

Ar ôl stop tap dyma'r Capten yn cyrradd adre, wedi câl pump ne' whech peint o gwrw. Pan welodd e'r iet ar agor, a'r crugie 'ma ar hyd y clos fe ath yn wallgo.

"Ma blydi ceffyle jips wedi bod 'ma, a ma'r diawled wedi cachu ar hyd y clos i gyd", mynte'r Capten.

Dyma fe'n rhedeg i'r sied i moyn rhaw a dyma fe'n rhofio'r bôls a'u towlu nhw dros y clawdd gan feddwl ma cachu ceffyle own nhw.

Y bore wedyn rodd y Capten wrthi'n cynnu'r tân. Rodd e wedi gosod y papur, y côd a'r cols, a 'ma fe'n mynd mâs i'r shed lo i moyn bôls, er mwyn rhoi'r rheiny ar ben y cyfan a chadw'r tân i losgi, ontefe. Ond pan welodd e'r shed yn wag dyma fe draw at Twm, gan regi a fflamio,

"Twm", mynte fe, a'i wrychyn wedi codi, "myn yffarn i, Twm, ma'r ffycin jips 'na wedi bod â'u ceffyle ffor hyn, a ma'r rheiny wedi cachu ar hyd y clos, a bore 'ma wy'n gweld fod y ffycin jips diawl 'na wedi dwgig 'y môls i."

"Gwranda, Twm, os cei di afel yndi nhw, os cei di wbod pwy own nhw, gwed wrtha i a fe fyddan nhw ne' fi yn gorff."

Dodd y Capten, druan, ddim yn sylwedd-oli ma fe'i hunan odd wedi towlu'r bôls i'r câ'r nosweth cynt.

Rwy'n cofio'r Capten yn rhoi gwahodd-iad i de i fi unwaith. Rown i fod 'no am dri o'r gloch ar brynhawn Sul, ond rodd hi'n bedwar arna i'n cyrradd, a mynte'r Capten, yn grac,

"Bachan, lle 'dŷch chi wedi bod? Am dri o' chi fod 'ma."

Dew, odd e'n ddifrifol o grac, a finne'n gweud pob stori allen i, nawr, fel rhyw fath o ymddiheuriad i'r Capten. A fe sylwes i ar un peth wrth gerdded mewn o'r pasej i'r gegin. Rodd y tebot mowr yn berwi ar y tân, a rodd hi'n amlwg bod hwnnw wedi bod yn berwi am awr ne' fwy.

Ar y tân hefyd, ochor yn ochor â'r tebot rodd 'na ŵy yn berwi mewn sosban. A fe ddechreues i feddwl, nawr, shwt yn y byd own i'n mynd i yfed y tê 'ma a byta'r ŵy.

Wel, myntwn i, ma'r awr fawr wedi dod. Dyma'r Capten yn rhoi basned o de o 'mlân i, dim cwpaned, a hwnnw wedi'i berwi hi adre. Ar ben hynny own inne ddim yn cymryd llâth. Wel, dyma fi nawr yn cymryd dracht o'r tê, a hwthu tipyn arno fe. Dodd dim soser 'na i arllwys y te iddi er mwyn 'i oeri fe.

Fe ddath hi'n amser nawr i fi agor yr ŵy. Diawl, rodd e mor galed, fe allen i gico fe bob cam i Lanarth a nôl. Ar ben y cyfan rodd mwg yn llanw'r gegin, yn cymysgu â'r stîm. Beth odd wedi digwydd, chweld, odd bod daear fyw y tu ôl i'r tŷ, a rodd Twm Gelli Fach wedi dringad i ben y to a rhoi bwced dros y shime. Rodd Twm wedi synhwyro bod rhwbeth mowr ar fin digwydd, a dyna lle'r odd e yn pipo rownd i ffrâm y drws, a'r Capten yn fwy crac na buodd e eriôd.

Wel, ar ôl yfed y te a byta'r ŵy, own i'n credu nawr bod y gwaetha drosodd. Ond dyma'r Capten yn agor y ffwrn wal a thynnu mâs fasned mowr o bwdin reis.

"Dyma'r stwff ma'r hen ddyn yn 'i neud", mynte fe, gyda balchder.

A fuodd raid i fi nawr fyta'r reis. Meddyliwch! Gorffod yfed te a odd yn ddigon cryf i fyddin o Gyrcas, byta'r ŵy a odd mor galed â chalon Magi Thatshyr, a byta digon o reis i fodloni Tsheinaman am flwyddyn. Dew, dyna i chi fuddugolieth ar 'yn rhan i. Rown i wedi trechu pethe mowr fanna.

Dew, rhai da odd y Capten a Twm. Alla i ddim peido meddwl am Twm nawr pan odd Dafydd Preis wedi'i daro'n wael. Dodd dim ffôn yn gyfleus yn unman, a dyma Twm, nawr, yn câl menthyg beic 'da'r sadlyr, beic Rali newydd sbon i fynd lawr i Aberaeron i moyn y doctor.

Bant â Twm, ond ar y rhiw serth 'na sy'n mynd lawr am Aberaeron fe ddath Twm i gwrdd â dyn yn arwen cart a cheffyl. Fe ath Twm rhwng y clawdd a'r gart a'r ceffyl a fe fwrodd yr hen ddyn odd yn 'u harwen nhw nes odd e â'i dîn dros 'i ben.

Rodd rhen ddyn yn edrych yn ddigon gwael, yn gorwedd fan'ny ar ochor yr hewl, ond rodd Twm yn iawn, doedd dim byd yn bod arno fe. Ond pan welodd e bod y Rali'n yfflon fan'ny, a'r hen ddyn wedi cal 'i fwrw mâs fe feddyliodd Twm, nawr, am ffordd i ddod mâs 'ny. A dyma Twm yn gorwedd wrth ochor yr hen ddyn fan'ny.

Fe ddath yr ambiwlans, ac fe awd â'r hen ddyn, a Twm, i'r hospital. A 'na lle rodd Twm yn gorwedd fan'ny ar y gwely yn gneud llygad mochyn, hynny yw, ag un llygad yn gil agored. Dyma'r doctor a'r nyrs yn edrych ar Twm a gweud,

"O, druan bach ag e!"

Ond rodd rhen ddyn a'r gart wedi'i châl hi'n llawer gwath, ontefe. Pan welodd Twm y doctor dyma fe'n dal ar 'i gyfle a gweud wrtho fe fod Dafydd Preis yn wael iawn. A dyma'r doctor yn mynd yn y car, a Twm gydag e, i weld Dafydd Preis. Dim sôn, wrth gwrs, bod Rali newydd y sadlyr yn yfflon. A fe achubodd Twm fywyd Dafydd Preis, ond fe fuodd jyst iawn â lladd yr hen ddyn a'r gart.

Rodd Twm yn 'i bwrw'i bant bob hyn a hyn, a hynny am flwyddyn ne' ddwy. Ac unwaith, pan odd e ar fin mynd ar 'i daith, dyma fe'n gofyn i'r Capten a 'nai e werthu'i wasgod wen iddo fe. Rodd Twm yn gwbod bod 'da'r Capten wasgod wen hyfryd, y wasgod y bydde'r Capten yn 'i gwisgo i fynd i lefydd parchus.

"Wel", mynte'r Capten, "fe gwertha i i ti am bymtheg swllt."

Yr hyn odd y Capten ddim yn 'i wbod odd bod prynwr i'r wasgod 'da Twm lawr yn y Sowth, rhyw foi odd wedi cynnig peder punt amdani. Fe wydde Twm hefyd bod y wasgod yn rhy fowr iddo fe, ond rodd e am roi'r argraff ma fe odd am 'i phrynu hi. Diawl, rodd y Capten yn ddyn boliog, braf a fydde'r hen wasgod byth yn ffito boi sleit fel Twm.

"Wel, Capten," mynte Twm, "cyn y tala i chi, odych chi'n fodlon i fi fynd adre â'r wasgod at mam i weld a yw hi'n ffito?"

Fe gytunodd y Capten, ac wrth neud hynny dyma fe'n rhoi ta ta i'r wasgod a'r pymtheg swllt. Rodd Twm yn gwbod na fydde fe'n dod nôl am flwyddyn ne ddwy, a erbyn 'ny rodd e'n gwbod y bydde'r Capten wedi madde.

Yn y dyddie 'ny rown i'n arfer mynd i ambell gymanfa ganu, yn enwedig Cymanfa Capel y Wîg. Rwy'n cofio un Pasg, dod nôl o'r gymanfa gyda Dan Pantsôd ar 'yn beics. Stopo yn nhafarn Synod Inn i gâl peint ne' ddou, a phwy odd 'no, wedi yfed hyd 'i styden, odd y Capten. A mynte Elen Synod Inn,

"Cymanfa dda? Canu da 'na, bois?"

A dyma finne a Dan yn ateb,

"Dew, canu da, odd. Canu neilltuol o dda."

Ond dyma'r Capten yn troi aton ni a gweud,

"Beth yffarn ŷch chi'n 'i wbod am ganu? Chi'n gwbod diawl o ddim am ganu. Tase chi lawr yn y Rhondda ar nos Sadwrn fe gaech chi glywed beth odd canu."

"Ond," mynte Elen, "allwch chi ddim cymharu canu tŷ tafarn i ganu Capel y Wîg."

"Hmmmmm," mynte'r Capten, yn grac erbyn hyn, "hmmmm, 'dŷch chi Elen ddim wedi bod yn bellach na'r ffwrn wal. Dwyt ti, Dan Pantsôd ddim wedi gweld dim byd mwy na dou gorn yr arad. Ag amdanat ti," mynte fe wrtho i –a fuodd raid iddo fe feddwl tipyn bach cyn gweud hyn– "ag amdanat ti, fe fwra i dy ben di drw'r blydi bar 'na."

Wedodd dim un 'no ni air nôl wrtho fe. Rodd pob un ohonon ni'n ymwybodol 'yn bod ni yng nghwmni dyn mowr.

Fe fuodd y Capten ar un adeg yn dilyn march, ac rodd march arbennig 'dag e, sef Prins Charli. Rodd 'da'r Prins gonyn anferth, rodd un gymint o faint 'dag e fel bod y Capten, pan fydde'r hen Brins ar fin mownto, yn gorfod rhoi'r conyn ar 'i ysgwydd er mwyn 'i arwen e mewn. Rodd hi'n gwmws fel tai'r Capten yn handlo pwmp petrol.

Beth bynnag, rodd y Capten a Prins Charli wedi bod ar gylchdaith lawr yn y De ac ar 'u ffordd adre. Rown nhw wedi cerdded am dri dwrnod, a'r ddou wedi blino, y ddou, cofiwch, wedi cerdded o'r Rhondda i Synod Inn. A jyst ar bwys Synod fan'ny dyma nhw'n dod ar draws damwen. Rodd rhyw foi â'i foto beic a'i seidcar wellt wedi mynd mewn i'r clawdd.

Pan ddath y Prins rownd y tro a gweld y seidcar wellt fe ath o'i go. Chi'n gweld, dodd rhen farch ddim wedi câl bwyd iawn ers tri dwrnod. Dyma fe draw at y seidcar wellt a mi fytodd y cwbwl ond yr echel a'r sgerbwd.

Mlân â'r Capten a'r Prins i sgwâr Synod Inn, lle cath y Capten gownt bod caseg ar ffarm yn Nhalgarreg ise march. Ac ar ôl cerdded bob cam o'r Rhondda, fe feddyliodd y Capten na fydde tair milltir arall ddim yn ormod. A draw ag e at yr eboles 'ma.

Rodd popeth yn barod nawr, yr eboles yn sefyll fan'ny, a'r Capten wedi gosod conyn y Prins ar 'i ysgwydd. Ond rhwng bod y Capten yn wan ar ôl cerdded, a'r Prins yn flin fe ddigwyddodd trasiedi fowr. Ma'n rhaid bod dafaden ar gonyn y Prins, wath pan fowntodd e'r eboles fe gydiodd y ddafaden 'ma yng nghlust y Capten a'i lusgo fe mewn gyda hi, a'r cwbwl odd i weld odd sgidie dal adar y Capten y tu ôl i bwrs y Prins.

A thra bo' fi'n sôn am farch, wy'n cofio, unwaith, lawr y tu ôl i'r Blac Leion yn Llanybydder, weld march yn mownto caseg.

TH6015

Wrthi fan'ny'n watsho'r pyrfformans rodd rhyw wraig fach odd yn golchi crys 'i gŵr. A fel rodd y march yn pyrfformo, ac yn mynd THYP! THYP! rodd y wraig fach ma'n tynnu ar grys 'i gŵr nes bod y botyme'n tasgu bant.

Rodd yr hen farch yn mynd THYP! THYP!, y crys yn rhwygo RHYPPP! RHYPP! a'r fenyw fach yn gweiddi ar 'i gŵr,

"John! John! Dere'n gloi, ne' fydd dy grys di'n yfflon rhacs!"

Ie, anian yn gweitho, ontefe, a'r fenyw fach wedi mynd i ysbryd y darn.

Yn hwyrach yr un prynhawn, yn y Blac Leion, rodd hen Susnes yn ail-adrodd am byrfformans y march,

" 'Na criwelti yn cefen y Blac Leion fan hyn," mynte hi. "Wyddoch chi, fi wedi dod â croten fach fi i drws cefen i moyn potel o pop, a beth welodd croten fach a fi odd y criwelti mwya erioed. Dyna lle oedd hen poni bach, a hen march mowr yn stwffio conyn lan i pen ôl e. A wyddech chi, wy'n pump a deugen oed heddi, a weles i ddim o marcho neb ond marcho mi fy hunan."

Ond sôn am y Capten own i, ontefe, y cymeriad gwreiddiol 'ma, y boi doniol, digri 'ma. Nawr, yn yr hen ddyddie rodd hi'n arferiad gyda ni yn yr ardal i ddal rhaff ar draws yr hewl adeg priodas, dala gwynten fel y bydden ni'n weud. Fe fydde'r ceir a odd yn cario'r priodfab a'r briodasferch a'r gwesteion yn stopo wedyn, a'r gwahanol bobol yn towlu arian mâs i ni, pishyn whech wrth un, swllt wrth y llall. Fe ddalodd y Capten wynten un bore, a fe gath swllt.

"Diawl, gwd bore, achan," mynte'r Capten, "pedwar peint."

Yn y prynhawn fe fuodd yn lwcus wedyn. Fe gath whech cheinog 'da rhyw ŵr bonheddig am ddal pen 'i geffyl e tra bod e'n câl wisgi bach yn y dafarn. Dew, fe gath y Capten lond 'i fola drw'r dydd, ac ar 'i ffordd adre dyma fe'n canu nerth 'i ben yr emyn hyfryd,

Duw'r bendithion yw Dy enw,
Yn cyfrannu'n helaeth iawn,
'Rôl cyfrannu yn y bore,
Rhoddi eto y prynhawn.

Twyll-Ymresymiad

Wy'n cofio pan own i'n lletya mewn gwesty yn Aberystwyth, yn y Syn Hotel, a gwraig y tŷ mewn panic mowr pan gyrhaedd-es i nôl o'r gwaith un nosweth. 'Na lle'r odd hi, yn cerdded nôl a mlân, ac rodd hi'n amlwg fod y fenyw fach dan deimlad. Pan welodd hi fi, dyma hi draw a gofyn i fi,

"Eirwyn bach", mynte hi, "odych chi wedi gweld y gŵr yn rhwle?"

Fel rodd hi'n digwydd, rown i newydd 'i weld e, a dyma fi'n gweud wrthi,

"Odw", mynte fi, "fe weles i fe jyst nawr. Rodd e mewn ciw tu fâs i shop y cemist."

"Wel yr hen ffŵl dwl ag e", mynte hi, "beth yn y byd odd e'n moyn fan'ny? Gweud wrtho fe am fynd mâs i moyn ychydig o ffresh letus wnes i."

A felna ma camgymeriade'n galler digwydd, chweld, sleit misyndyrstandin, chwedl ein cyfaill y Sais. Ac mae'n rhaid cyfadde fod sleit misynydyrstandin wedi digwydd, o bryd i'w gilydd, i'r gore ohonon ni, gan gynnwys, credwch ne' bido, i fi.

Cymerwch yr amser 'ny pan brynes i weiyrles newydd nôl yn y tridege. Wedi câl y weiyrles –Cossor odd hi– rhaid odd gosod yr erial ar hyd yr ardd. Torri lartshen, a rhoi honno wrth y cwtsh sinc. Twll i ddala'r gledren, clymu un pen o'r erial wrth dop y lartshen a gwthio'r pen arall i dîn y Cossor. Switsho mlân, a'r hen weiyrles yn gwitho'n berffeth.

Ond howld on, nawr, rodd hi'n gwitho'n iawn, odd, ond rodd rhwbeth bach o'i le yn rhwle. Pan own i'n 'i switsho hi mlân i glywed Henri Hôl a'i fand enwog, falle ma rhywun fel Byrnard Shô gawn i, a hwnnw'n athronyddu a malu awyr.

Diawl, ffeilu deall beth odd yn rong. Dim byd o'i le ar y tiwno. Popeth yn glir ac yn ddealladwy. Ond rodd rhwbeth mowr o'i le ar yr amseriad. Dyma fynd â'r set nôl i'r boi gwerthodd hi. Hwnnw wedyn yn ffeilu gweld dim o'i le. A wir i chi, yn y diwedd dyma Mistyr Cossor 'i hunan yn dod lawr. Hwnnw wedyn yn gweld dim byd o'i le.

Ond diawl, rodd rhwbeth yn bod, wath pan own i'n troi at Ganiadeth y Cysegr ar ddydd Sul, a disgwl gwasaneth o Landysul, fe fyddwn i'n câl gwasaneth o Lanberis.

Fe barodd y peth yn ddirgelwch mowr nes i fi sylwi un nosweth wrth ddarllen y *Radio Times*, a minnau yn fy stydi, ontefe, nad ar y Cossor odd y bai. Fi odd yn câl y *Radio Times* wthnos yn hwyr.

A felna ŷn ni fel cenedl, ontefe? Rŷn ni ryw gwarter canrif ar 'i hôl hi, yn 'dŷn ni? A ma'n rhaid dod o fanna, ond o's e?

Fe ddylen gymryd esiampl oddi wrth y

boi bach 'ny o Bontshân odd am brynu lamp beic, am fod yn foi goleuedig, ontefe. Rodd Dai, gwas bach Tremeini am symud gyda'r oes, rodd e am fanteisio ar y dyfeisiade mwya modern.

Nawr rodd gan Dai lamp garbeid, ond rodd gormod o ffwdan wrth honno. A dyma Dai yn clywed am y cwmni 'ma o Lunden, Preid and Clarc, odd yn gwerthu lamps beic, rhai batri. Dim ond switsho mlân, ac rodd gole'n dod ar unwaith. Fel y dywedodd yr emynydd hwnnw, Herber Evans, "Bydd goleuni yn yr hwyr". Hmmm, ie, blydi marfylys. Ond ta waeth, dyma Dai'n mynd ati i sgrifennu'r llythyr.

Dear Mistyr Preid,

I am sending you this letter because your name comes first. I have nothing at all against Mistyr Clarc.

Now then, Mr Preid, I have got a beic, a bell, pump, tool-bag and everything, but I haven't got a lamp beic, and it gets very dark round here these nights.

So now then, Mr Preid, please send me the lamp beic as soon as possible. But don't send it on Mondays, Tuesdays or Wednesdays because Leisa Post doesn't like coming round here on those days.

Yours forever,
Dai Tremeini.

P.S. Remember me to Mistyr Clarc

Rodd Dai, mae'n amlwg, yn gredwr cryf yn arwyddair mowr Baden-Powell a'i Boi Scowts, "Byddwch Barod". Ond ma modd cymryd pethe yn rhy llythrennol, fel y boi 'ny odd o flân y Medical Bord yr un pryd â fi ar gyfer mynd i'r armi. Dyna lle rodd e, yn sefyll yn borcyn o flân y doctor, gyda gas masc am 'i ben e.

"Pam wyt ti'n gwisgo'r gas masc 'na?", gofynnodd y doctor.

"O", mynte'r boi, "wedi clywed ar y radio, 'olwes cari iwyr gas masc widd iw'."

Dyma'r doctor wedyn yn cydio yn 'i bwrs e, a gweud wrtho fe, "coff", hynny yw, gweud wrtho fe am beswch, ontefe. Ond fe feddyliodd y boi ma "off" wedodd y doctor, a dyma fe mâs trw'r drws fel mellten, a'i law ar 'i bwrs. Ie, sleit misyndyrstandin unwaith 'to.

Ac ma camddealltwrieth bach yn galler digwydd yn hawdd, on'd yw e? Rwy'n cofio prynu côd lawr tua Gilfachreda, ne' Cilaffrica, chwedl y Sais, lawr ger Cei Newydd. Rown i wrthi yn 'u cynaeafu nhw, a rown i newydd gwmpo un ar draws y nant.

Dyna lle'r own i ar ben y boncyff gyda wyall, yn tocio'r canghenne, pan slipes i a chwmpo mewn i'r nant. Ar ôl disgyn i'r dŵr dyma fi'n sylweddoli 'mod i mewn pwll tro, pwll dwfwn iawn. Tawn i ddim ofan boddi, a tae gen i lais, fe fyddwn i wedi canu gyda'r emynydd enwog arall hwnnw, Dafydd Williams, Llandeilo Fach, "Yn y dyfroedd mawr a'r tonnau". Hmmmm, ie, fel y mae'n dod i'm cof. Hyfryd iawn.

Beth bynnag, fan'ny own i o dan y dŵr, gan ofan bod y diwedd wedi dod. Fe es i lawr i'r gwaelod siwr o fod wyth gwaith, ond fe lwyddes i gydio mewn cangen, dal wrth honno fel geloden, a llusgo'n hunan lan o'r dŵr.

Nawr, fel y gallwch chi ddychmygu, rown i'n 'lŷb diferu, a fe es i lan at Jim Brown odd yn byw yn y Felin fan'ny i ofyn iddo fe am fenthyg trowser a chrys. Ond rodd 'i wraig e mâs, a wydde fe ddim lle rodd 'i drowseri a'i gryse'n câl 'u cadw. Ond dyma fe'n rhoi benthyg 'i fan fach i fi fynd adre yn lle bo fi'n gorfod trafferthu â'r hen lori odd gen i, chweld.

Pan es i adre, rodd y wraig mâs yn rhwle. Dyma fi'n tynnu 'nillad, a chamu'n borcyn i ben y sgiw er mwyn ffeindio dillad sych yn y cwpwrth.

Ond jiw, fe glywes i sŵn yn y pasej. Y wraig odd 'na, wedi dod nôl. Rodd hi wedi gweld fan ddierth wrth y tŷ, a be welodd hi pan ddath hi mewn ond dyn yn borcyn yn twrio mewn i'w chwpwrth dillad hi.

Diawl, dyma hi'n mynd i gered, yn dianc mâs o'r tŷ nerth 'i thrad, a dyma finne'n rhedeg mâs ar 'i hôl hi. 'Na lle'r odd hi, yn rhedeg lawr y rhiw pan droiodd hi nôl a 'ngweld i'n sefyll yn borcyn ar garreg y drws. A jiw, fe nabyddodd fi. Chi'n gweld, odd hi ddim wedi 'nabod i o'r tu ôl.

Ond o's pethe rhyfedd yn digwydd yn hanes dynion? Cofiwch, 'dyw hynna'n ddim byd. Yr enghraifft waetha o sleit misyndyrstandin glywes i amdano fe odd yn y cyfnod 'ny pan own i'n gwitho lawr yn y docie yng Nghardydd. Yno'n gwitho 'da fi odd clobyn mowr o ddyn du. Dodd e'n siarad fowr o Susneg, a rodd yr hen druan yn gorfod wynebu llys barn, llys ei mawrhydi, ontefe, a hynny ar gyhuddiad o ymosod ar 'i wraig.

Nawr dim rhyw fonclust fach, ne' gic yn 'i phen ôl hi, fel bydde fi ne' chi'n 'i neud, odd hwn wedi'i roi iddi. Diawl, rodd e wedi hanner 'i lladd hi, ac rodd hi yn yr hospital yn gorwedd rhwng byw a marw.

Pan ymddangosodd yr hen ddyn du o flân y barnwr, dim ond un peth alle fe weud, "sleit misyndyrstandin", a dim un gair arall. Ond fe gafodd y barnwr lond bola ar hyn, a dyma fe'n rhybuddio'r dyn du, os na wnâi e egluro beth odd e'n feddwl, y bydde fe'n câl 'i hala i'r carchar, ne' gâl 'i grogi.

Felly dyma'r dyn du yn crafu'r chydig Susneg odd gydag e, ac yn adrodd y stori drist. A fel hyn yr adroddodd e'i gŵyn –

"Mi bleind. Mi cannot si. Byt mi was told ddat meidyn's watyr is gwd ffor ei-seit. So mi gŵing hôm, mi tel Rachel, mei weiff, ddat meidyn's watyr is gwd ffor ei-seit. Rachel, mei weiff, shi tyrn rownd and tel mi, 'Mei watyr is gwd as eni meidyn's water'. So now, mi is laying on mai bac on ddy fflôr widd Rachel crowtshing abyf mi. Ai sey, 'Rachel, let go'. And Rachel shi let go. Byt sleit misyndyrstandin."

Hynny yw, fe gachodd Rachel.

Ydi, ma cam-ddealltwrieth yn galler bod yn uffern. Ond gafodd y dyn du garchar? Naddo, fe ddath yn rhydd. Sleit misyndyrstandin odd y cwbwl.

Ma'n debyg ma'r cam-ddealltwrieth mwya ddigwyddodd i fi eriod odd clywed bo fi wedi marw. Ac fe fues i, yn ôl yr adroddiade, farw nid unwaith ond dwywaith.

Nawr rwy wedi câl y bai ar gam ganwaith. Menyw barchus, ambell waith, yn edrych arna i fel tawn i'n sarff, a hynny am fod 'i gŵr wedi meddwi a hwnnw wedi rhoi'r bai arna i. Hanesion drwg yn mynd obwyti'r lle wedyn, a phobol yn gweud, "Jiw, peidwch mynd yn agos at yr Eirwyn Pontshân 'na. Ma fe'n ddyn peryglus."

Cofiwch, bryd arall, rwy wedi achub crôn sawl un wrth iddyn nhw ailadrodd wrth 'u gwragedd rai o'r storïe ne'r dyfyniade wedes i wrthyn nhw, a'u gwragedd nhw wedyn yn wherthin ac yn llawn maddeuant. Hedd a thangnefedd yn teyrnasu ar yr aelwyd unwaith eto. Hmmmm, hyfryd iawn.

Ond diawl, rhyw ddeg mlynedd yn ôl fe ddath y newydd i'r pentre 'mod i wedi marw. Down i ddim. Ym mhriodas Neil ap Siencyn own i, yn Shir Fôn. Ond gan fod neb wedi 'ngweld i am dri dwrnod fe ath y stori ar led 'mod i wedi marw.

Rodd pobol yn ffono'r tŷ, ac yn galw, a ddim yn deall o gwbwl pam odd y wraig, Mrs Johones acw, mor sionc a'i gŵr yn 'i arch. Un o'r rhai alwodd ar y ffôn odd Donald, y Prifardd lleol, ontefe. Ond wrth glywed y wraig yn siarad mor ddidaro dyma fe'n defnyddio tipyn o seicoleg, tipyn o athronieth, ac yn mynd ati i falu awyr, a gweud dim am y farwoleth.

Chydig ddyddie wedyn rown i yn y gweithdy, a dyma fi'n clywed rhyw ddou ddyn dierth yn siarad â'r wraig. Wedi esgus dod i nôl blawd llif own nhw er mwyn gweld a odd y stori'n wir. Wrth iddynt nhw ddod mâs o'r tŷ fe glywes un yn gweud wrth y llall,

"Diawl, all e ddim bod wedi marw ne fyse'i wraig e ddim mor sionc."

"Cofia", medde'r llall, "falle bod hi'n sionc am 'i fod e *wedi* marw".

Rhyw dri dwrnod wedyn fe alwodd un ohonyn nhw ar y ffôn, a dyma fi'n ateb.

"O, Eirwyn, ti sy 'na?" mynte fe, mewn tipyn o syndod.

"Ie", myntwn i.

"O, gartre wyt ti, te?"

"Nage", myntwn i, "rwy rhyw dair milltir yr ochor draw i uffern, yn Limbo."

Diawl, fe ath rhywun mor bell â chyhoeddi yn *Y Faner* 'mod i wedi marw, a'r siopwr lleol, rhyw hanner-Sais yn rhoi cyngor i fi, mewn rhyw Gwmrâg lletwhith, "Eirwyn", mynte fe, "ma'n rhaid i ti siwio Banyr." Siwio'r *Faner*! A honno bron mor farw ag own i i fod!

Yr ail dro i fi farw odd yn Steddfod Carnarfon. Rown i wedi câl prynhawn go drwm yn y Roial gyda Gwilym Owen, a mi es i i'r car y tu ôl i'r gwesty i gysgu. A fan'ny own i'n cysgu'n drwm. Ond ma gen i gof am rywun yn pipo mewn arna i unwaith. Ond feddylies i ddim byd ar y pryd.

Y peth nesa wy'n gofio odd gweld clobyn o sarjant mowr a dou fobi yn plygu wrth 'y mhen i, a'n ysgwyd i fel clwtyn. Diawl, rodd rhywun wedi ffono'r polîs i weud bod dyn marw mewn car y tu ôl i'r Roial.

A fe fynnodd y sarjant, cyn i fi fynd nôl i'r bar am beint arall, 'mod i'n arwyddo darn o bapur i brofi'n swyddogol 'mod i'n fyw.

A ma'n rhaid ma fi yw'r unig ddyn byw sy wedi bod yn destun beddargraff. Wedi i fi farw'r tro cynta, fe sgrifennodd T. Llew Jones a Dic Jones englyn i fi,

Mae Eirwyn wedi marw –gwŷr y wasg
A roes iddo sylw.
O ddigwyddiad ofnadw',
Meddwi a wnaeth, medden nhw.

PATRONS
ONLY
HYN
SYDD
DYSTIO
FY MOD I
YN FYW
AC YN IAC

YR HEIDDEN A'I DYLANWAD

Fe wedodd Byrnard Shô rywbryd ne'i gilydd, *'There isn't such a thing as bad weather, it's different kinds of good weather'.* A fe nath rhywun arall fynd gam ymhellach gan gymhwyso'r peth drw weud, *'There isn't such a thing as bad beer, it's different kinds of good beer'.*

Fe ath Dic Jones ati i osod y gwirionedd mowr 'ma mewn barddonieth,

Ma cwrw gwell na'i gily',
Nid oes dim cwrw sâl,
Y man y mae 'nghyfeillion
Ma'r cwrw gore i gâl.

Fel ma Dic yn 'i awgrymu, dim mynd i'r dafarn i feddwi ŷch chi'n neud, ond mynd 'no er mwyn y cymdeithasu, er mwyn mynd at yr hwyl a'r cyfeillgarwch, ontefe?

Cofiwch nawr, fe all dyn, gyda'r bwriade gore yn y byd, fynd dros ben llestri. Fe allwch chi fynd i'r dafarn ag ymdynghedu i chi'ch hunan na newch chi ddim meddwi, doed a ddelo, fel yr hen foi 'ny odd yn benderfynol na fydde fe byth yn marw. 'Pan fydd y boi â'r gaib, pan fydd angel marwoleth yn dod i'n nôl i,' mynte fe, 'fe fydda i'n dal yn sownd wrth bost y gwely a fe fydda i'n gwrthod mynd gydag e.'

A ma'r un peth yn wir yn y dafarn. Rŷch chi'n benderfynol na newch chi ddim meddwi. Ond ma un peint yn mynd yn ddou, a dou yn mynd yn dri a diawl, cyn bo chi wedi sylweddoli, rŷch chi o dan effeth y dablen, ma'r drontol wedi ennill buddugolieth. Fel y canodd rhyw hen fardd, a odd, mae'n amlwg, wedi dod o dan ddylanwad Pantycelyn a'r dablen,

Disgwyl byw flynyddoedd lawer,
Falle angau wrth y drws,
Meddwl gwrthod temtasiynau –
Ym mhen dwyawr, ar y bŵs.

A dyna i chi deimlad y bore wedyn. Taeru'ch bod chi wedi colli'ch iechyd a meddwl, 'na dda fyse hi petai 'na lyn mowr o ddŵr o flân y tŷ fel y gallech chi dowlu'ch hunan mewn iddo fe. Ma'n rhaid ma rhyw fore felna odd ym meddwl Gwilym Gwennog pan ganodd e,

Wel dyma ddydd, mi fyddai'n falch
I'w droi'n ei gof, neu drin y gwalch;
Dydd gweiddi 'stên!' dydd godde stŵr,
Dydd gŵyl lled wael, dydd gwely a dŵr.

Fe ganodd Isfoel rwbeth tebyg i "Annwyd," ond fe alle hon hefyd fod yn ddisgrifiad o'r meddwyn y bore wedyn,

Yma'n cyfarth a charthu –anadl rhwym,
Dolur rhydd a phoeri,
Catar yn cloi'r cwteri,
Mewial cath, a dim hwyl ci.

Ond y cwmni yw'r peth mowr mewn tafarn. Wy'n cofio, er enghraifft, yn

Steddfod Carnarfon yn 1979, diawl, rown i'n câl hwyl yn y Roial, a hynny yng nghwmni mawrion y genedl, bois fel Syr Melfyn Rosser, Tom Jones Llanuwchllyn a Dilwyn Miles. Diawch, odd y bois 'ma'n werthin cymint nes i'r bos, hynny yw, rheolwr y Roial, ddod lawr i weud wrthyn nhw am fod yn dawel. Meddyliwch, rhyw Sais twp yn gweud wrth fois mor ddeallus â hyn am fod yn dawel!

Ond diawl, ar ganol yr hwyl, pwy ddath mewn ond Syr Alun Talfan, a phan welodd e fi, fe droiodd yn 'i unfan fel top sgŵl a rhedodd lan y stâr fel wenci. Dodd e ddim am 'yn nabod i.

A 'na i chi beth od, y nosweth cyn hynny rodd e wedi talu am wisgi i fi, ond yn y cyf-amser rodd e wedi clywed, siwr o fod, ma fi odd yn mynd i ymladd achos enllib Y Lolfa, yr achos enllib odd Syr Alun yn bwgwth 'i ddwyn yn erbyn y cwmni, ontefe. A fi odd i gâl y fraint o wynebu Syr Alun fel Amicus Curiae. A phan welodd e fi, fe ddihangodd.

A ma pethe felna'n dueddol o ddigwydd i fi. Pobol yn gneud 'u gore i'n osgoi i. Dyna i chi Steddfod Cricieth, a finne'n cerdded bwyti'r lle ar y Maes pan weles i Alun Williams yn dod yn strêt tuag ata i. Ar yr eiliad ola fe welodd fi, a mi redodd i'r twll cynta welodd e. Ond diawl, 'na siom gath e. Fe droiodd ar 'i ben mewn i babell Adfer. A fel tai hynny ddim yn ddigon, fe ath i'r union le lle'r own i'n mynd. Hynny yw, dodd dim dihangfa.

Dyna i chi Steddfod Hwlffordd wedyn. Own i'n câl peint yn y Cownti Hotel pan ddath Dilwyn Miles a rhyw foi arall mewn. Fe wedodd rhywun wrtha i ma Derwydd Mawr Llydaw odd y llall. Ond pan es i draw atyn nhw, fe sylweddoles i ma Susneg odd hwn yn siarad, a dyma fi'n gweud wrtho fe,

"Derwydd Mawr Llydaw, myn yffarn i! Sais wyt ti'r diawl!"

Fe gath y Derwydd lond tîn o ofan, a dyma fe'n dianc, a rhedeg lan y stâr fel mellten.

Ond sôn am y dafarn own i, ontefe, a be sy gen i yw hyn —os ŷch chi am wbod be sy yn nyfnder calon rhywun, rhowch gwrw iddo fe. Allwedd calon, cwrw da, medde'r hen air, a ma fe'n wir.

Bryd 'ny, yn y cyfnod bach 'na rhwng codi'r latsh a meddwi, dyna pryd ma nabod rhywun. Ma pethe mowr yn digwydd bryd 'ny. Ma'r cwbwl yn llifo mâs o'r is-ymwybod. Mawredd y cwrw, chweld, dylanwad Syr John Buckley ar y bywyd Cymreig.

Dwy'n gweld dim synnwyr mewn mynd i dafarn a meddwi, a chico dros y tresi. Ma'r tafarnwr wedyn, yn ddigon naturiol, yn mynd i roi pall ar 'ych cwrw chi. Ond pan ŷch chi'n mynd mewn i dafarn yn hollol sobor, a'r tafarnwr yn gweud wrthoch chi am fynd mâs, wel, ma 'na rwbeth rhyfedd yn bod.

Y dafarn ddwetha ges i 'nhowlu mâs 'ni hi odd hen dafarn ar bwys Brynhoffnant. Rhyw ddwrnod ne' ddou cyn Nadolig odd hi, bwyti peder blynedd nôl. Own i wedi bod lawr yn Aberteifi ar fysnes, yn gwbwl sobor. Rodd y tafarne wedi bod ar agor drw'r dydd, ac fe es i mewn gan feddwl câl hanner bach a phacyn o ffags, ontefe. Ond dyma'r hen Sais 'ma o dafarnwr yn gweud wrtha i,

"Are you Eirwyn Pontshân? Well, if so, you're not welcome."

"Cadw dy blydi cwrw", mynte fi wrtho fe, "a hwpa dy ffags lan dy dîn. Ond fe

UDIAD
YNGYLAIDD
YMRU
Llwyau Caru
DWYIEITHOG
Bi-lingual Love Spoons
AREITHIAU
EMYR
LLEWELYN

gofia i amdanat ti, gwd boi."

Tua'r un adeg rodd hen dafarnwr yn Ffostrasol odd yn ypseto i gyd dim ond i fi gerdded mewn. O'ch chi'n gweld wrth 'i hen wep e, a'i wên e'n diflannu bod gas 'dag e 'ngweld i. Ond rodd e'n ffeilu magu digon o nerth i 'nhowlu i mâs. Dyn gwan, ontefe.

Pan glywe fe fi'n trafod y peth hyn a'r peth arall rodd e'n gwbod bod rhwbeth rhyfedd yn digwydd, ond rodd e'n ormod o gachgi i neud dim.

Pan ma dynion felna bwyti'r lle fe all dyn gâl enw drwg, a hynny ar gam. 'Na i chi'r amser pan gês i fynd i'r loc yp am i mi, yn ôl y polîs, hanner lladd rhyw sarjiant. Meddyliwch, boi bach pump-a-thair fel fi yn rhoi cosfa i ryw flagard mowr o sarjiant whech-a-pheder. Fe fuodd stori fowr am y peth yn y *Cambrian News*. Ond celwydd odd y cyfan. Own i ddim wedi twtsh â'r dyn.

Ond fe fuodd hynna'n ddigon i roi enw gwael i fi. Bob tro y bydde'r wraig yn mynd mâs fe fydde hi'n clywed pobol y pentre'n siarad,

"O, a pwy chi'n weud yw honna, nawr?"

"Jiw, jiw, sa chi'n gwbod? Honna yw gwraig y boi fwrodd y sarjiant."

Yr adeg 'ny rown i fod arwen noson lawen yng nghapel y Methodistied yn Nhaliesin, ond fe ganslon nhw fi a moyn rhywun arall oherwydd 'mod i wedi câl enw gwael.

Ma camddealltwrieth yn beth digon drwg, ond diawl, pan ma pobol yn gweud celwydd amdanoch chi, ma hynna'n wath, on'd yw e? Dyna'i chi'r pennill bach 'na am y mochyn, ontefe. Ma fe'n crynhoi'n berffeth yr hyn wy'n giso'i weud,

Fe werthwyd mochyn Pegi Wilis
Am 'i fod e'n dene,
Ar 'i gefen nid odd cigyn,
Rodd twll 'i dîn e mâs yn bigyn.

Ond fe wedwyd celwydd am y mochyn
Fod twll 'i dîn e mâs yn bigyn.
Ar 'i gefen rodd cig yn rholio,
Rodd twll 'i dîn e mewn draw i rwle.

Whare teg i'r hen fochyn, ontefe? A whare teg hefyd i'r dirwestwr. Ma gen i barch i ddirwestwr sy'n stico at 'i bethe, at 'i ddaliade, ond do's gen i ddim parch i'r dirwestwr sy'n gneud dim ond clatsho ar y tancwr byth a hefyd.

Nawr, dodd Dafydd Ifans, Ffynnon-henri, er 'i fod e'n weinidog, ddim yn ddirwestwr, a rodd Dafydd yn cyfadde hynny. Ond mewn cyfarfod ysgolion cymysg yn Llandysul ar y pwnc "Dirwest", fe dreiodd rhai o'r blaenoried neud ffŵl 'no fe drw ofyn iddo fe holi'r plant. A fel hyn ath pethe,

"Beth yw'ch pwnc chi, 'mhlant i? gofynnodd Dafydd.

"Dirwest", mynte'r plant.

"O, da iawn. Ma'n dda iawn 'da fi glywed. Rwy wedi clywed llawer o sôn am ddirwest tua Conwil a Chaerfyrddin fel system sy'n mynd i newid y byd. Ma'n dda iawn 'da fi eich bod chi wedi cymryd y pwnc mewn llaw. Nawr te, beth yw dirwest?"

"Llwyr-ymwrthodiad."

"Llwyr-ymwrthodiad oddi wrth beth?"

"Oddi wrth bob math o wirodydd meddwol."

"Oes gyda chi ysgrythur dros eich pwnc?"

"Oes. 'Gwae y rhai i gyfodant yn fore i ddilyn y ddiod gadarn, ac a arhosant hyd yr hwyr'."

"Codi'n fore, wedoch chi?"

"Ie."
"I ddilyn y ddiod gadarn?"
"Ie."
"Ac aros hyd yr hwyr?"
"Ie."
"O'r bolgwn! Wn i ddim shwt odd 'u bolie nhw'n gallu dala wrth yfed drw'r dydd felna. Arhoswch chi, nawr, codi'n fore wedoch chi?"
"Ie."
"Does dim drwg mewn codi'n fore ynddo'i hunan?"
"Nag oes, mae e'n beth da."
"Odi, odi. Felly ma'n rhaid darllen yr adnod i gyd cyn câl 'i synnwyr. 'I'r rhai a godant yn fore *i ddilyn diod gadarn ac a arhosant hyd yr hwyr*', yn fanna ma'r gwae, ontefe?"
"Ie."
"Shwt ddiod yw hi, y ddiod 'ma y mae gwae o'i dilyn hyd yr hwyr?"
"Diod gadarn."
"Bobol annwl, gwrandwch nawr, edrychwch. Ma'r plant yn gweud bod perygl ofnadw mewn yfed diod rhy gryf. Gofalwch chi o hyn allan. A chi'r tafarnwyr, peidwch macsi diod rhy gryf, ma'r Dwbwl yn ddigon i gwmpo ceffyl. Diod gadarn wedoch chi odd yn beryglus, ontefe?"
"Ie."
"Do's dim perygl yn y byd mewn diod fach gymhedrol, rhyw shoncen fach ar ôl cinio, oes e, mhlant i?"
"Nag oes."
"Nag oes, nag oes, nobl wir, nobl, feri gwd. Oes gyda chi rwbeth i'w weud am win?"
"Nac edrych ar y gwin pan fyddo goch."
"Un coch yw'r gwin, ontefe?"
"Ie, ond bod ambell i win cochach na'i gilydd."
"Ond ai'r gwin sy'n cochi ne' lygaid yr yfwr wrth ddilyn gormod arno fe? Mewn dilyn gormod ar win, ac aros gydag e nes 'i weld e'n goch ma'r perygl, ontefe?"
"Ie."
"A yw gwin yn dda?"
"Ydi, fel meddyginiaeth."
"Pwy sy'n gweud hynny?"
"Paul ddwedodd wrth Timotheus am ymarfer ychydig win er mwyn ei gylla a'i fynych wendid."
"Gwared pawb, be wedsoch chi nawr? Paul yn gorchymyn, wedsoch chi?"
"Ie."
"I Timotheus yfed gwin? Beth odd Paul?"
"Apostol."
"Beth odd Timotheus?"
"Pregethwr ifanc."
"A Paul yn 'i gynghori fe i yfed gwin er mwyn 'i gylla a'i fynych wendid! *Well done*, Paul, am gofio am gylla pregethwr! Rodd e'n e'n well na llawer yn ein dyddie ni. Felly odd yr hen dadau. Ond ma pobol heddi yn llawer mwy gofalus am gylla lloi bach nag am am gylla pregethwr. Diolch i Paul, ffamws wir wir. Ma'r efengyl yn dda, dim ond iddi gâl ond iddi gâl whare teg."
Ar hynny fe gododd un o'r blaenoried a rhoi stop ar y seiet. Rodd Dafydd wedi trechu.
Fe fuodd y blaenoried wrthi wedyn yn treio câl Dafydd i arwyddo'i fod e'n ddirwestwr. Ond gwrthod nath Dafydd.
" 'Na i ddim seino yn erbyn y ddiod," mynte fe. "Nath hi ddim drwg eriôd i fi. Yn wir, fe nath lawer o dda. Fe dorrodd 'yn syched i, fe gododd 'yn ysbryd i."
"Ond", mynte un o'r blaenoried, "fe all

neud drwg i chi eto, yn y dyfodol."

"Y dyn!" mynte Dafydd. "Odych chi am i fi gâl doctor cyn 'mod i'n sâl? Odych chi am i fi roi powltis ar goes iach?"

Dal i wasgu arno fe odd y blaenoried, ond fe gauodd Dafydd 'u ceg nhw yn y diwedd.

"Beth tawn i'n seino yma nawr yn gyhoeddus na wnawn i byth ladrata?" mynte fe. "Fe fydde pawb yn meddwl wedyn ma fi odd lleidr mwya'r wlad. A tawn i'n seino yn erbyn y ddiod fe fydde pawb wedyn yn meddwl ma fi odd y meddwyn mwya yn y gymdogeth."

Rodd Dafydd yn 'i deall hi. Fe welodd Dafydd drw'r culni a'r rhagrith 'ma sy'n perthyn i rai dirwestwyr. Nawr, do's dim byd o'i le ar ddirwestwr, os yw e'n dewis bod yn ddirwestwr. Ma perffeth hawl 'dag e. Do's gyda fi ddim yn erbyn dirwestwr, ond ma gyda'r dirwestwr lot fowr yn erbyn pobol fel fi.

Wy'n cofio mynd ar y sharabang ar drip ysgol Sul i Aberystwyth, a'r peth cynta welon ni odd tafarn ar dân. Tu fâs i'r dafarn rodd y dirwestwr enwog Gloywddwr Huws yn drychid ar y fflame mowr 'ma yn codi, a gwrando ar y poteli'n popan yn y gwres. A dyna lle'r odd e, yn gweiddu gyda blas, gydag angerdd,

Yn dy flân, nefol dân,
Dyro yma feddiant glân.

A dyna lle'r own ni'r plant yn canu gydag e,

Ni ddirwestwyr llon ein llef,
Ymladd wnawn ag arfau'r nef.

Ond erbyn hyn rwy'n gwbod yn well, ontefe. Cyn gewch chi ddiploma am fod yn yfwr mowr, rhaid i chi beido â chyfeillachu â dirwestwr. Peidiwch byth yfed dŵr os bod arian yn 'ych poced chi. Ac os torrwch chi botel o wisgi, fe ddylech gâl deunaw mlynedd mewn cadwyne.

Ond i ddod nôl at y blaenor mowr 'ma. Rodd e wedi etifeddu'r enw Gloywddwr am ma dŵr odd e'n yfed. Ond pan fuodd e farw fe welwd, wrth ddarllen yr ewyllys, 'i fod e wedi buddsoddi'i arian yng nghwmni Roberts y bragdy yn Aberystwyth. Rodd e'n gwbod lle rodd gneud arian.

Pan odd Gloywddwr yn canu'r emyn mowr 'na,

Mi nesaf atat eto'n nes,
Pa les i'm ddigalonni?
Mae sôn amdanat ti'n mhob man
Yn codi'r gwan i fyny.

pan odd e'n canu'r emyn 'na, dim meddwl am 'i Dduw odd e, ond am gwrw Roberts, a'r arian odd yn dod mewn.

A fanna ma'r dirwestwr yn 'i cholli hi. Wyddech chi, ar un adeg rodd pobol ddysgedig led led Iwrop yn dod draw i Gymru i whilo am wareiddiad. A rodd y bois hyn yn dancwyr mowr. Darllenwch chi ragair Syr Ifor Williams i'r gyfrol *Dafydd ap Gwilym a'i Gyfoeswyr*. Yn y rhagair ma Syr Ifor yn cynnig gair bach o eglurhad.

Yng nghyfnod Dafydd ap Gwilym, mynte fe, nôl bwyti'r bedwaredd ganrif ar ddeg, rodd pobol ddysgedig Iwrop yn dod draw 'ma, yn fyfyrwyr, yn bobol ddeallus gyda gwallte hir, yn edrych yn ddigon aflêr, fel lot o stiwdents heddi. Fe fydden nhw'n yfed llond bola o gwrw a chysgu mâs yn yr awyr agored. Ond whilo am wareiddiad own nhw.

Yn 'i ragair fe gyfieithodd Syr Ifor gerdd fach o'r Lladin wedi'i chyfansoddi 'da un o'r bois 'ma. A ma'r gerdd fach 'ma yn crynhoi'n 'nheimlade i'n berffeth,

Fy mwriad i yw marw yn y dafarn,
Lle bydd gwin yn agos i'm gwefusau pan

y trengaf.
Yna yn llawen y cân corau'r angylion,
'Boed Duw drugarog wrth yr yfwr hwn'.

YR ELFEN AIL-ISRADDOL

Fe ddysges i 'nghrefft fel sâr côd, a 'nghrefft fel criminal, yr un pryd. Rodd Jac a finne'n ddou brentis 'da Tomos John, a un dwrnod dyna lle'r odd y ddou 'no ni, a Tomos John 'da ni, yn gweitho lawr ar bwys Horeb. Rodd hi'n ddwrnod twym iawn, a rodd Tomos John wedi tynnu'i gôt a'i wasgod.

Rown i ise mynd adre'n gynnar, bwyti awr yn gynt, ac wrth weld côt a gwasgod Tomos John yn hongian fan'ny dyma fi'n dal ar 'y nghyfle. Fe es i draw yn slei bach at y wasgod, tynnu watsh Tomos John mâs, a'i throi hi awr ymlân. Own i'n gwbod yn ddigon da na fydde fe byth yn gadel i fi fynd adre'n gynnar.

Bwyti pedwar o'r gloch dyma fi'n gofyn wrth Tomos John faint o'r gloch odd hi, a draw ag e at y wasgod a thynnu'r watsh mâs. Dew, pan welodd e'i bod hi'n bump o'r gloch ar y watsh fe ysgydwodd hi, fe'i dalodd hi wrth 'i glust i weld os odd hi'n dal i dician, ond o'r diwedd dyma fe'n gweud wrtho ni am baco lan. A bant a ni, awr yn gynnar.

Dew, pan gyrhaeddodd Tomos John adre, dodd dim bwyd yn barod iddo fe, a dyna lle'r odd 'i wraig e'n ffeilu deall pam odd y dyn wedi dod adre mor gynnar. Wel, rodd popeth wedi câl 'i ypseto.

Trannoth yn y gwaith, wedodd Tomos John ddim byd, dim ond drychid yn gas ar Jac a finne. Ond fe sylwes i na thynnodd e mo'i wasgod bant o gwbwl y dwrnod 'ny, er 'i bod hi'n dal yn dywydd twym. A weles i eriôd 'no fe wedyn, chwaith, yn tynnu'i wasgod.

Dew, tawn i wedi parhau yn y pethe 'ma, fe fyddwn i erbyn heddi'n un o ddihirod mwya'r wlad. Ma'r Sais yn ymfalchïo yng nghamp y Grêt Trein Robyrs. Dew, fe allen i fod yn Grêt Taim Robyr ar ôl dwgid awr ar Tomos John.

Ond fe ddysges i 'nghrefft yn dda 'da Tomos John, dysgu shwt odd gweitho spôcs cart, ambell i fwlyn cart, ac wedyn graddio i neud cart gyfan. A wedi i fi ddysgu 'nghrefft felny fe es i lawr i Gardydd i ehangu tipyn ar 'y ngorwelion, ontefe. A dyma gyfle arall yn dod i fi fynd yn griminal.

Fe gês i waith 'da T.A. Jones yn Westgêt Strît, perchennog cwmni odd yn gneud mowldings ac ornaments a phethe felny. Rodd T.A. Jones yn berchen ar ddeg ar hugen o filgwn, ond y job fwya odd 'da'r gweithwyr odd dala llygod mowr yn y gweithdy.

Fe ddechreuodd y cwmni wedyn ail-adeiladu tai odd wedi câl 'u bomo adeg y rhyfel. Ar ben popeth, T.A. Jones odd yn gofalu ar y pryd am y Cardiff Arms Parc, lle'r odd yr Iancs, yr adeg 'ny, yn dod i whare ffwtbol.

Fe gês i'r job i werthu tocynne ar gyfer y gêm unwaith. Dew, rodd gen i ddou ne' dri rholyn o docynne. Ar y pryd dim ond punt yr wthnos own i'n gâl mewn cyflog, ond fe gasgles bwyti wythbunt mewn prynhawn wrth werthu tocynne. Wel, dyma bocedo'r cwbwl a mynd lawr i'r docs i'w gwario nhw.

Ar y ffordd, yn Seint Meri Strît, fe gwrddes â rhyw foi digon od, y dyn tebyca weles i eriôd i Wil Bril. Rodd hwn wedi deall bod arian yn 'y mhoced i, chweld, a dyma fe draw ata i. Dew, odd e'n foi mowr, gwallt criw-cyt, côt leder ddu a styds, a dou lygad tro 'dag e.

"Ble rwyt ti'n mynd heno, Taff?" mynte fe. Ac wrth neud hynny dyma fe'n llygadu dwy ne' dair o fenywod odd yn sefyll fan'ny. Fe ddealles, nawr, ma bwli hŵrs odd y boi, hynny yw, tshap yn cymryd ordyrs.

Rodd y bwli yn deall, chweld, ma boi bach o'r wlad own i, rhyw foi bach twp wedi dod i'r ddinas fowr. Ond yn well na dim i'r bwli, rown i'n foi bach twp â llond poced o arian, er ma arian T.A. Jones own nhw. A diawl, rown i'n dwp, ne' fyddwn i ddim wedi mynd i weitho i Gardydd yn y lle cynta.

Fe ddath y bwli yn eitha cyfeillgar â fi, a fe ath â fi lawr gydag e i Biwt Strît i ardal y docie lle'r odd 'dag e ddeg o hŵrs o dan 'i ofal, y cyfan 'ny nhw'n dilyn 'u crefft mewn hen shed sinc. Y cwbwl odd yndi odd un ar ddeg o welye, hynny yw, un yr un i'r hŵrs ag un i'r bwli, mop llawr, lle bach i retsho yn y cornel a chasgen deg galwn o Jei's Ffliwid.

"Nawr te, Taff," mynte'r bwli, gan ddechre siarad busnes, "deg swllt ar hugen yw'r pris, punt i fi a degswllt i'r hwren."

Diawl, digon rhad, ontefe. Ond fe wedes i bo fi'n moyn amser i feddwl, a fe es i mâs i gâl pishad. A ma pishad yn clirio'r meddwl, ond yw e, yn gneud dyn i feddwl yn gliriach. Wy'n cofio ennill gwobor mewn cwrdd cystadleuol unwaith am rigwm, a fel hyn odd e'n mynd,

Tri pheth sy'n codi 'nghalon –
Câl peint yn Aberaeron,
Dwbwl jin yn Abermad,
A phishad yn Nhregaron.

Beth bynnag, dyna lle'r own i'n pisho fan'ny, a meddwl be ddylwn i neud, pan ddath y bwli draw â phisho wrth 'yn ochor i.

"Beth yw dy waith di, Taff?" mynte'r bwli, yn gyfeillgar.

"Sâr côd," myntwn inne.

"Diawl," mynte'r bwli, "yn ôl seis dy gonyn di, fe wedwn i ma barbwr wyt ti."

Dew, 'na i chi gompliment. Odd y bwli yn cymharu maint 'y nghonyn i â pholyn barbwr. Ond fe weles i drw'r bwli. Ise i fi feddwl bo fi'n dipyn o fachan odd e, ise i fi feddwl bo fi'n foi conynfawr. A wrth neud i fi deimlo bo fi'n gonynfawr rodd e'n meddwl y byddwn i'n ddigon hyderus i dderbyn 'i gynnig e i fynd 'da un o'r hŵrs.

Gwrthod wnes i. Fe wedes wrth y bwli y byddwn i nôl y nosweth 'ny. Ond es i ddim. Fe es nôl i Westgêt Strît a rhoi'r wythbunt i T.A. Jones. Rodd y demtasiwn wedi bod yn un fowr, ond fe lwyddes i'w gwrthsefyll hi.

Cofiwch, rown i'n foi digon conynfawr bryd 'ny. Ond fues i ddim felny bob amser. Yn y dyddie 'ny pan own i'n hen grwt, yn gweitho 'da Tomos John, un fach ddigon cyffredin odd 'da fi. Wy'n cofio un dwrnod yn y gweithdy, pan odd Tomos John wedi mynd bant ar fusnes am y bore, wy'n cofio amdana i a'r prentis arall yn câl cystadleueth pwy odd â'r conyn mwya. Rown i wedi bod wrthi'n gweitho bwlyn cart, a dyma fi'n hwpo 'nghoc mewn i'r twll yn y bwlyn. Diawl, rodd 'na ddigon o le. Dodd hi ddim hyd yn o'd yn twtshid â'r ochre.

Fe ddath hi'n dro i'r prentis arall wedyn. Nawr, rodd un hwn chydig bach yn fwy, ond rodd honno'n mynd mewn a mâs yn ddigon rhwydd hefyd.

Ond dyma'r prentis mashwn yn dod mewn, a dyma fe'n rhoi cynnig arni. Fe gath ddigon o drafferth i'w hwpo hi mewn, ond ar ôl gneud hynny fe gath godiad, fe ath yn gonynfawr, a fe ath yn sownd yn y bwlyn.

Ar ben popeth fe gyrhaeddodd Tomos John nôl, a dyna lle'r odd y prentis mashwn, 'i gonyn e'n sownd yn y bwlyn cart, yn rhedeg rownd y gweithdy a Tomos John yn rhedeg ar 'i ôl e.

Wyddoch chi, 'na'r unig dro yn 'y mywyd i fi deimlo'n ddiolchgar ma coc fach gyffred-in odd gen i.

Fe fuodd 'na stwff ar y farchnad unwaith, stwff o'r enw Magnaphal, hynny yw, darpar-ieth ar gyfer gneud pethe bach yn bethe mowr. Rodd hwn yn stwff chwyldroadol. Dim horn pêst odd hwn. Fe fuodd hwnnw gen i. Own i'n 'i gadw fe mewn tun bach ym mhoced 'y ngwasgod. Wedyn, pan fyddwn i am deimlo'n gonynfawr fe fyddwn i'n rhoi pinshed o'r horn pêst ar 'i blân hi, a fe fydde hi'n codi.

Ond gogoniant y Magnaphal odd hyn. Dim un codiad yn unig gaech chi, ond encôr hefyd. Fe gês i gynnig bod yn werthwr Magnaphal yn y Gorllewin, ond fe wrthodes i. Chi'n gweld, rhan o 'nyletswydd i fydde rhoi arddangosiad o effeth gwyrthiol y Magnaphal 'ma, a hynny ar lwyfan. Ond rodd ofan arna i y bydde galw arna i i roi encôr.

Rodd 'na fenyw yn ardal Cei newydd, a rodd honno'n mynnu câl encôr ar ôl encôr. Wy'n cofio rhyw foi bach ifanc yn adrodd yr hanes wrtha i am y tro 'ny ath e mâs 'da hon. Hen grwt ifanc odd e, yn bwrw'i brentisieth rhywiol. Ond diawl, 'na fistêc nath e i fynd mâs 'da hon. Fe dorrodd 'i galon e. Rodd y boi bach 'ma wedi'i shelffo hi deirgwaith, ond rodd hi'n moyn encôr arall. A phan ffaelodd e, dyma hi'n wherthin ar 'i ben e a gweud,

"Jiw, jiw, be sy'n bod arnat ti bachan, dere mlân. Ma dy goc fach di fel dalen."

Diawl, whare teg, dyna i chi siom i hen grwt ar 'i brifiant. Dyna i chi lle'r odd gwir angen am y Magnaphal.

Ond rodd 'na fenyw arall o'r un ardal yn deall y pethe'n well, a fe wedes i wrth yr hen grwt 'ma am fynd lawr ati hi, sef Leisa. Rodd Leisa wrth 'i bodd yn dysgu'r bois ifenc shwt odd mynd ati yn y ffordd iawn. Fe ath yr hen grwt, a phan weles i fe nesa, rodd gwên ar 'i wyneb e, rodd Leisa wedi adfer 'i hunan-hyder e.

Pan ath e draw rodd hi'n gorwedd ar y gwely yn 'i ddisgwl e. A dyma'r hen grwt yn rhedeg ati, a neido ar 'i phen hi. Ond dyma Leisa'n 'i hwpo fe bant.

"Na, na," mynte hi, —a ma hi'n arferiad yn yr ardal i bobol siarad yn y trydydd person —"na, na, cered e nôl, a dered e mlân 'to."

Dyma'r boi bach yn ufuddhau, a baco nôl i'r pasej. A dyma fe'n cymryd hyrfa arall am Leisa. Ond câl 'i hala nôl nath e unwaith 'to. A felny buodd pethe am sbel, gyda

Leisa'n dal i weud,

"Na, na, cered e nôl 'to."

Rodd Leisa, chweld, yn gneud crefftwr mâs o'r crwt 'ma, yn 'i ddysgu fe i gymryd pwyll. O'r diwedd, bwyti'r wheched tro i'r hen grwt fynd ati, dyma hi'n cydio yndo fe, a gweud,

"Dyna fe, 'machgen i, dyna fe. Felna ma'i gneud hi."

Odi, ma crefft yn beth mowr. A ma hi'n hen bryd i'r crefftwr, ym mhob maes, gâl y parch a'r gydnabyddieth sy'n ddyledus iddo fe. Wy'n cofio pan fues i lan yn gweitho yn Aberystwyth yn y pedwardege, a mynd i Aelwyd yr Urdd. Croeso mowr. Nes iddyn nhw ddeall ma sâr côd own i, gweithwr cyffredin. Rodd rhai 'ny nhw'n troi'u trwyne lawr arna i wedyn.

Tawn i'n dîtshyr ne'n stiwdent, jiw, fe gawn i barch mowr. Cofiwch, rodd rhai yn wahanol, bois fel Jacob Dafis a Stanley Lewis. Rodd y rheiny yn 'y nerbyn i fel un ohonyn nhw. Pawb yn gydradd, ontefe.

Diolch bod rhai pobol yn galler gwerthfawrogi'r pethe, yn gweld drw'r hen barchusrwydd afiach 'ma. Wy'n cofio un dwrnod, ar ôl bod lawr yn Llanrhystud yn gofyn gwahanol brisie côd, galw yn y dafarn yn Talgarreg ar y ffordd adre. Yn fan'ny fe gwrddes â rhyw fachan o Bencarreg, rhyw foi gweddol ifanc a odd yn ffarmo rhyw wyth ne' naw cyfer o dir mynydd.

Dew, fan'ny buon ni, am bwyti awr a hanner, siwr o fod, yn trafod y peth hyn a'r peth arall. A medde fe wrtha i,

"Diawl, fyse'n dda 'da fi tasen i'n galler cofio popeth chi wedi weud wrtha i'r prynhawn 'ma."

Whare teg iddo fe, rodd y boi yn talu teyrnged i fi, on'd odd e? A ma ambell i un wedi gweud wrtho i 'i bod hi'n druenu na fysen i wedi câl mynd i ysgol ramadeg ne' goleg. Ond, er bod y peth yn gompliment, faint gwell fyddwn i erbyn heddi? Yr unig beth fyddwn i wedi'i ddysgu, am wn i, fydde dysgu iwso macyn yn lle 'y mys, i bigo 'nhrwyn.

Byd y teledu, hynny yw, S4C, yw popeth heddi. Os na chewch chi job fan'ny, 'dŷch chi'n neb. Bod yn weinidog odd yr uchelgais unwaith. Wedyn fe ddath mynd i ddysgu yn uchelgais fowr. Ond y teledu yw'r yw'r peth mowr erbyn hyn.

Credwch ne' beido, fe gês i gyfle unweth i weitho i gwmni teledu Granada. Fe fues i lan yn y stiwdio yn Manceinion yn gneud rhaglen Gwmrâg 'da Rhydwen Williams a Harri Pritchard Jones. Dodd dim stiwdio 'da'r teledu annibynol yng Nghardydd bryd 'ny.

Rodd hyn nôl yn 1959, a dim ond dechre odd teledu Cwmrâg. Dew, mewn â ni i'r stiwdio, a phwy odd yn câl cino ar yr un bwrdd â ni ond Shyrli Basi a Margret Locwd. A gyda bo fi'n iste gyda nhw, fe gês i wers mewn mannyrs 'da Rhydwen.

"Tynn dy gap, bachan," mynte fe, "ne' fe fyddan nhw'n credu bo ti ddim yn gall."

Ar ôl i ni orffen ffilmo fe ofynnodd y cynhyrchydd i fi –Ponty odd e'n 'y ngalw i, rodd e'n ffaelu gweud Pontshân– dyma fe'n gofyn i fi a fyddwn i â diddordeb mewn aros 'no i neud rhaglenni Susneg.

Fe ath Harri a finne nôl i Garnarfon i aros nos, a wir i chi, fe gês i 'nhemtio. Rown i bwyti hanner ffordd nôl i Fanceinion y bore wedyn pan wedes i wrth Harri am droi nôl. A nôl yr es i.

Y nosweth 'ny rown i'n pyrfformo mewn sosial yn Bontgoch. A phan own i ar y llwyfan, rodd rhyw feddylie rhyfedd yn mynd drw'n meddwl i. Fan'ny own i, yn mynd drw 'mhethe yn sgoldy Bontgoch pan allen i fod yn ennill arian mowr gyda Granada yn Manceinion.

Ond chês i ddim achos i ddifaru. Fe fydde gweitho ar raglenni Susneg yn grôs i'n egwyddorion i. A'r nosweth 'ny, ar y llwyfan yn Bontgoch, rodd pawb yn deall beth own i'n weud, pawb yn câl hwyl, wedi llwyr ymgolli. Allen i ddim peidio meddwl i fi droi lawr gyfle mowr. Gwrthod teledu Granada am sosial Bontgoch. Ond rown i'n meddwl pryd 'ny, a rwy'n dal i feddwl nawr, ma fi odd yn iawn.

Nid 'mod i'n anniolchgar i'r Sais 'na o Fanceinion, cofiwch. O leia fe gês i gynnig gwaith 'dag e, yn wahanol i gwmnïe teledu Cymru. Cofiwch, fe gês i'r fraint a'r anrhydedd o ymddangos o bryd i'w gilydd ar ambell raglen. Fe fues i, er enghraifft, ar Raglen Hywel Gwynfryn unwaith. Own i ddim wedi paratoi dim. Fe es â'r bensh a chwpwl o dŵls gen i, dim byd arall.

"Peidwch chi â becso, nawr," mynte Ruth Preis, y cynhyrchydd wrtha i. "Bwrwch mewn, gwedwch beth ŷch chi am."

A dyna be wnes i. A wyddech chi, yn sydyn rown i wedi anghofio am yr hen gamerâu 'na. A dyna i chi beth hyfryd odd gweld a theimlo'r gynulleidfa'n dihuno.

Chi'n gweld, yr hyn own i'n geisio'i esbonio i Hywel Gwynfryn odd pwysigrwydd y sgwêr rŵt, yr ail-isradd. A ma'r sgwêr rŵt yn golygu mwy na symbol bach mewn mathemateg. I fi ma fe'n golygu dou beth, hynny yw, sgwâr a gwreiddyn. Odi pren yn sgwâr? Odi pren o'r gwreiddyn iawn?

Ma sâr da, bob tro ma fe'n edrych ar bren sy heb 'i drin yn gweld y gwaith gorffenedig yndo fe. Ond y peth cynta chi'n neud, pan gydiwch chi mewn pren yw edrych i weld a o's twist yndo fe. Wedyn ma rhaid hogi'r plân, a phlâno'r pren er mwyn câl un wyneb yn sgwâr.

Unwaith cewch chi un wyneb yn sgwâr, ŷch chi'n rhoi marc ar yr wyneb 'ny, a mynd ati wedyn i sgwaro'r wynebe erill o hwnnw, hynny yw, câl y twist mâs.

Petai dyn yn galler camu mâs o'i blisgyn a edrych ar 'i hunan, yn galler camu nôl a thowlu golwg ar hyd 'i ddeunydd fe alle fe ganfod y twist sy yndo fe'i hunan. Wedyn fe alle fe gydio yn 'i blân yn hyderus, 'i hogi fe a phlano'i hunan. Fe fyse fe wedyn yn câl gwared o'r twist 'na sy yndo fe, a dod yn ddyn strêt.

Hysbys y dangos y dyn
O ba radd y bo'i wreiddyn.

Ma'r cwpled bach 'na yn dal yn wir. Os yw'r gwreiddyn yn iach, fe fydd y pren yn bren da, fe fydd grân da arno fe. A ma'r un peth yn wir am ddyn.

Wy'n falch, yn y grefft o waith sâr, fel yn y grefft o fyw, i fi gâl ysgol dda. Hynny yw,

"Gall gŵr adeiladu tŷ, ond rhaid wrth wraig cyn creu aelwyd."

Do, fe gês i 'nysgu yn y cyfnod 'ny pan odd seiri'n cymryd balchder yn 'u gwaith. Rown nhw'n credu'r hen ddihareb ma gweddw crefft heb 'i dawn. Wy'n meddwl yn amal am y ddou sâr 'ny odd yn yr ardal ar un adeg, sâr Blanpant a sâr Synod Inn. Rodd y ddou'n cystadlu yn erbyn 'u gilydd, a rodd 'na lawer o ymryson rhwng y ddou, y naill yn torri prise'r llall gymint ag y gallen nhw. Ond er gwaetha'r gystadleueth fowr rhwng y ddou, dyma sâr Synod yn cyfansoddi teyrnged fowr i'w wrthwynebydd,

Dau saer erioed a greodd Duw,
Croeshoeliwyd un, ma'r llall yn fyw;
Trueni mawr na chreodd gant
O seiri mawr fel sâr Blanpant.

Ma 'na stori wedyn am ryw foi yn gofyn i sâr Blanpant faint fydde fe'n moyn am neud coffin.

"O, aros di nawr," mynte fe, gan dowlu'i lygad ar hyd yr holwr, "i foi whech trodfedd fel ti, peder punt ar ddeg."

"Bachan," mynte'r boi, "rwyt ti'n ddrud. Fe wedodd sâr Synod Inn wrtha i y galle fe neud coffin i fi am ddeuddeg punt."

"Popeth yn iawn," mynte Blanpant, "ordra dy goffin 'dag e. Ond cofia di hyn, fe fydd di dîn di mâs trwyddo fe mewn pythownos."

Fe gês i lawer o brofiade wrth neud coffine, un yn arbennig. Rodd Twm, y sâr arall, a finne wedi câl mesuriade'r hen foi 'ma, ond pan gyrhaeddon ni â'r coffin fe welon ni bod cefen crwca 'da'r hen ddyn, heb sôn am drwyn hir, pigfain. Dyma ni'n 'i roi e yn y coffin, ond dodd dim modd cau'r caead.

Wel, y dasg gynta, nawr, odd câl gwared o'r teulu mâs o'r stafell lle'r odd yr ymadawedig yn gorwedd. A dyma Twm a finne'n malu awyr, yn siarad am y peth hyn a'r peth arall a chydymdeimlo. A dyma fi'n gofyn yn fonheddig a fedren nhw, falle, neud cwpaned bach o de i ni. A fe gytunon nhw ar unwaith, whare teg.

Unwaith ithon nhw lawr y stâr dyma fi'n gosod y caead ar ben yr hen ddyn a dyma Twm yn dringad i ben y caead –rodd Twm yn foi trwm– a gwasgu. Unwaith ath y caead i'w le fe sgriwes i'r sgriws mwya odd gen i mewn drw'r caead i ystlysen y coffin.

Rhwng ymdrechion Twm a finne fe lwyddon ni i strêto'r hen ddyn mâs. Hynny yw, chwedl Eseia,

"Pob pant a gyfodir, a phob mynydd a bryn a ostyngir; y gwŷr a wneir yn uniawn, a'r anwastad yn wastad."

Ond wy'n meddwl yn amal be sy'n mynd i ddigwydd i'r hen batriarch 'na ar Ddydd y Farn. Diawl, pan godith e fydd hyd yn o'd 'i deulu'i hunan ddim yn 'i nabod e. Fe fydd trwyn fflat 'dag e, a fe fydd drodfedd yn dalach.

Fe fydd e fel hen foi 'nhad. Rodd hwnnw'n ddyn mowr, sics ffwt ffôr and e hâff â lwmpyn ar 'i gefen e. Fe ath o dan stîm rolyr, a fe ddath mâs yn sefyn ffwt tŵ.

MYND I YSBRYD Y DARN

Fel arfer ma cerddorfa fowr yn golygu sŵn i fi, rhyw ralentando sy tu hwnt i 'neall i, heb unrhyw air bach o eglurhad, ontefe. Ond wy'n cofio ar y nos Sul cyn Steddfod Carnarfon, a finne yn y tŷ wrth 'yn hunan, hynny yw, a minnau yn fy stydi, a phwy odd ar y radio ond Robin Jones yn cyflwyno noson o gyngerdd clasurol mawreddog o bafiliwn y Steddfod.

Yr arlwy fowr odd Pedwaredd Symffoni Tshaicoffsci. Nawr, own i wedi clywed am y boi Tshaicoffsci 'ma o'r blân. Own i ddim yn 'i nabod e na dim byd felny, ond fe wydden i bod 'dag e rwbeth i neud â cherdd-orieth glasurol.

Dyma fi'n dechre gwrando ar Robin Jones yn rhoi gair bach o eglurhad, a whare teg iddo fe am neud hynny. Fe ddath teithi meddwl Tshaicoffsci yn llawer cliriach i fi, diolch i esboniad Robin.

Nawr, yn ôl Robin ma'r Bedwaredd Symffoni yn darlunio'r hen Tshaicoffsci yn y falen, yn y dymps. A dyma'r gerddorieth fowr 'ma yn llanw'r tŷ, yn para am bum mynud ar hugen, a finne, nawr, wedi mynd i ysbryd y darn. Wyddoch chi, fe ddath esboniad Robin Jones â'r peth mor fyw i fi fel rown i'n galler gweld yr hen Tshaicoffsci yn y falen, yn cerdded rownd y gegin â'i ben yn 'i ddwylo. Rown i'n galler 'i weld e'n cerdded mewn i'r shed yn yr ardd i whilo am lein ddillad i grogi'i hunan, a'i weld e'n dod nôl yn y diwedd i sŵn y trombôn.

Dyna i chi bwysig ma gair bach o eglur-had felna yn galler bod, a dyna pam wy'n galler siarad gyda chymint o awdurdod ar Bedwaredd Symffoni Tshaicoffsci heddi.

Nawr, ma nhw'n gweud wrtha i bod 'na Bumed Symffoni, lle cath Tshaicoffsci 'i noddi 'da rhyw ddynes gefnog iawn o Loeger. A fe fydden i'n falch tai Robin Jones yn rhoi rhyw esboniad bach ar honno rywbryd er mwyn i fi aller dod yn fwy o arbenigwr ar fywyd a gwaith Tshaicoffsci.

Ma'r diddordeb 'ma mewn cerddorieth wedi bod yndo i eriôd. Fe alla i gofio pan own i lawr yn gweitho yng Nghardydd. Rhyw nos Sul yn y gwanwyn, ar ôl bod yn y cwrdd, hynny yw, wedi'r oedfa, fe es i am wâc gyda rhai o'r myfyrwyr trw Barc y Rhath, a siarad am y peth hyn a'r peth arall. Dyma fi'n sylwi ar y blode hyfryd ar y dde a'r with, a sylwi yn anad dim ar ryw fenyw dal, dene odd yn cerdded y tu blân i fi. Rodd hi'n annaturiol o fain.

Yr hyn ddath i'n meddwl i odd cerdd fowr Telynog, "Y Blodeuyn Unig". Ac ar y fynud honno fe ddath yr awen heibo i fi. Falle'i bod hi wedi dod ata i fel y dath hi at Tshaicoffsci, "whail ddy balans of ddy maind was distyrbd". Beth bynnag, fel hyn y canes i,

Hen chwannen fach wyf fi mewn blew
Yn araf, araf sugno,
A'r ddynes fain yn cnoi ei chil
Wrth weld ei hun yn teneuo.

Yn anffodus, dwy ddim yn cofio'r darn i gyd. Trueni hefyd, achos odd e'n ddarn mowr, yn gerdd bwysig. Ond rodd hynna'n dangos 'mod i'n hoff o gerddorieth hyd yn o'd bryd hynny.

Ma dyn yn tueddu i neud pethe mowr pan aiff e i ysbryd y darn. Ond yr hyn sy'n gneud pethe'n hyfryd, a gneud i chi werthfawrogi'r hyn ŷch chi'n weud yw ymateb pobol. Oni bai am yr ymateb fydde dim pwrpas i fi weud dim.

A rwy'n credu bod y cyfnod 'ny, hyd rhyw ddeng mlynedd nôl, yn gyfnod hyfryd. Dew, odd hi'n bleser mynd i bobman a siarad â phobol. Own nhw'n gwrando arnoch chi. Ond ma pethe wedi dirywio nawr. Do's dim llawer o nosweithe llawen yn câl 'u cynnal nawr, dim ond rhyw hen ddiscos swnllyd.

Fe fuodd amser pan allen i fynd i dafarn, câl peint ne' ddou a thrafod y pethe. Gwrando ar y criw, yr hen fois, yn siarad am 'u profiade. Dew, odd y peth yn addysg.

Ond nawr ma'r dirywiad i'w weld ym mhobman. Wy'n cofio'n ddiweddar mynd i siarad mewn Clwb Ffermwyr Ifenc. Cwmni iawn, pobol ifenc. Ond dodd fowr o ymateb 'na. Rodd 'na ddou ne' dri o Suson yn 'u canol nhw, a dyma fi'n adrodd chydig o benillion yn yr iaith fain, ffor ddy sêc of ower Inglish ffrends, ontefe. Ond dim ymateb.

Ond yn y man fe gwmpodd rhywun drei ne' rwbeth yn y cornel nes bod sŵn mowr dros bob man, a dew, dyma nhw'n wherthin nes bod nhw'n wan.

Yr hyn odd yn dod heibo'n meddwl i odd, tawn i'n câl gwahoddiad i siarad 'na 'to fe fyddwn i'n mynd lawr â rhyw hen racsen o gitâr gen i, a fe fyddwn i'n gwichal a gweiddi a siarad drw'n hat. Fe fydde pawb wrth 'u bodd wedyn.

Pan fydd rhywun yn gwrando, y peth pwysig wedyn yw'r amseriad, y teimin. Pan ma dyn ar 'i ore ma peth rhyfedd yn digwydd iddo fe. Ond eto ma'r fath beth â diffuantrwydd a difrifoldeb yn bod, ac ar adege pan fydda i ar 'yn hwylie gore ar lwyfan, yn gweud a gneud pethe digri a doniol, fe fydda i'n troi at rwbeth mwy difrifol. Ond ma pobol yn dal i wherthin. Dŷn nhw ddim yn deall. Yr unig beth ma rhai pobol yn 'i ddeall yw pan fydd ise mynd i'r tŷ bach arnyn nhw. Ar wahân i hynny, 'dŷn nhw'n deall dim

Fe fuodd pethe'n wahanol. Wy'n cofio ddeg mlynedd ar hugen yn ôl, Bocsing Dei 1952, yn mynd lan 'da Dani Gwarcôd ar y moto beic i Landdewi Brefi. Rodd Dani ise prynu moto beic 'i hunan, chweld.

Beth odd mlân yn Llanddewi ar y dwrnod 'ny odd cwrdd cŵn hela, a phobol yr ardal i gyd wedi dod at 'i gilydd. Yn y dafarn fan'ny y bues i drw'r dydd, lan ar ben y ford. Dew, 'na i chi hwyl a hei leiff. Gweud storïe, canu, adrodd, a'r cwbwl yn gartrefol.

O fan'ny fe ithon ni mlân i dafarn Llanwnen. Newydd brynu cap gwyn own i, adeg Steddfod Aberystwyth. Rodd y peth yn newydd, ontefe. Hwyl fowr fan'ny wedyn, rhyw foi yn whare acordion, a finne'n adrodd adrodd a gweud storïe.

Yn sydyn dyma rhyw fenyw yn dwgid y

cap oddi arna i a'i gwato fe. Fe ddath yn ddeg o'r gloch, a'r dafarn yn cau ond rodd y ddynes 'ma'n gwrthod rhoi'r cap nôl i fi. Fe whiles yn 'i phocedi hi a'i bag hi, ond dodd dim sôn amdano fe.

Erbyn hyn rodd y fenyw 'ma wedi mynd i'r car, ond dyma ryw foi fan'ny yn mynd mewn ar 'i hôl hi a dechre twrio. A wir i chi, lan yng nghôs 'i throwser hi fe ffeindiodd e'r cap.

Ma'r hen gap wedi câl profiade rhyfedd iawn, ond dyna'r profiad rhyfedda. Dim rhyfedd bod 'i big e wedi braenu. Fe awgrymodd Frank Price Jones y dyle'r cap gâl 'i ddiogelu i'r genedl. Ar raglen deledu rhyw brynhawn Sul rodd e wrthi'n trafod hen bethe, a fe wedodd Frank bod 'y nghap i'n drysor cenedlaethol ac y dyle fe gâl 'i gadw mewn amgueddfa.

A gweud y gwir, fe fues i jyst iawn â mynd i amgueddfa, ddim i gâl 'y nghadw mewn cês glass ond i weitho 'no. Fe gês i gyfweliad yn yr Amgueddfa Werin yn Sain Ffagan 'da'r Doctor Iorwerth Peate nôl yn pedwar deg whech. Rown i wedi hala llythyr iddo fe'n gofyn am waith fel sâr, a phan ês i mewn i'w weld e rodd y llythyr yn hongian fan'ny ar y wal o'i flân e.

Fe gês i'r swydd, ond yn y cyfamser rown i wedi câl job i godi tai yng Nghardydd, ailgodi tai a oedd wedi câl 'u bomo 'da'r Jyrmans, a es i ddim i Sain Ffagan wedi'r cwbwl.

Rodd e'n brofiad symud o'r wlad i'r ddinas, a 'na i chi beth hyfryd yw mynd i le dierth, lle nad o's neb yn 'ych nabod chi. Wy'n cofio unwaith câl job i godi shed lan yn ardal Llanfyllin, ac wrth fynd adre fe alwes i mewn tafarn yn Adfa ar bwys y Drenewydd. Dew, own i mewn dillad gwaith, yn rhacs a heb shafo. Dyma fi'n codi peint a phaced o grisps a dechre siarad â'r cymeriade lleol. Dew, rodd hi fel bod mewn gwlad arall, y fi'n hollol ddierth a'r bois lleol 'ma yn dechre'n holi i.

Fe wedes i wrthyn nhw ma gweitho rownd y ffermydd own i, rhoi'r argraff iddyn nhw nawr ma tramp own i. Dyna lle'r own i'n palu celwydde. Rodd tragwyddol heol gen i, on'd odd e? Fe wedes wrthyn nhw ma cerdded own i, a bo fi'n whilo am y ffordd o Benybontfawr i Lanuwchllyn. Rodd car gen i rownd y cornel, ond own nhw nhw ddim yn gwbod hynny.

Fe es mlân i weud bo fi'n mynd i ardal y Bermo i weitho fel labrwr yn y gwaith aur. Rodd John 'y mrawd, myntwn i, wedi prynu'r gwaith aur a bwriadu'i ailagor e. Ond diawl, ar ganol yr hwyl a'r sbri dyma rhyw lais o'r tu ôl i fi yn 'y nghyfarch i,

"Dew, Pontshân achan, sut wyt ti?"

Diawl, rodd 'na rywun own i'n 'i nabod wedi dod mewn heb i fi 'i weld e, a fe sbwylodd hwnnw'r cwbwl. Ond anghofia i byth mo'r ymateb gês i 'wrth y bois lleol 'na.

A ma ymateb yn beth pwysig. Rodd Eser Ifans, Tregaron wedi gweud stori arbennig ddwsine o weithe, ond heb eriôd gâl ymateb iddi. Stori odd hi am ryw foi od odd yn gweitho ar yr hewl. Fe ofynnodd i'r fforman am adel awr yn gynnar er mwyn mynd i brynu moto beic. Fe gath fynd, a bant ag e.

Trannoth, yn y gwaith dyma fe'n adrodd hanes y bargeinio fuodd rhyngddo fe a'r perchennog,

" 'Moto beic', myntwn i."

" 'Moto beic', mynte fe."

" 'B.S.A.?' myntwn i."

“ ‘B.S.A.’, mynte fe.”
“ ‘Tw-ffiffti?’ myntwn i.”
“ ‘Tw-ffiffti’, mynte fe.”
“ ‘Un coch?’ myntwn i.”
“ ‘Un coch’, mynte fe.”
“ ‘Gwd thing?’ mynte fi.”
“ ‘Gwd thing,’ mynte fe.”
“ ‘Twist grip?’ myntwn i.”
“ ‘Twist grip,’ mynte fe.”
“ ‘Faint yw e?’ myntwn i.”
“ ‘Pumpunt,’ mynte fe.”
“ ‘Cadw fe,’ myntwn i.”

Fe wedodd Eser y stori ’na wrth Dennis a fi, a fe wherthon ni nes o’n ni’n wan. A ’na falch odd Eser. Ni odd y rhai cynta i werthfawrogi’r stori.

Rodd Dennis yn ffrind mowr i fi. Fe fydden ni’n mynd i steddfode gyda’n gilydd, a wy’n cofio peth rhyfedd yn digwydd i ni yn Steddfod Aberteifi yn 1942.

Fe ath yn rhy hwyr i ni fynd adre, a dyma ryw wraig own i’n nabod yn dda yn gweud wrthon ni y caen ni gysgu yn ’i char hi. Fe ath Dennis i gysgu i’r set ôl a finne tu blân. Ond mewn sbel fe ddath dynes draw aton ni, telynores eitha enwog own i’n ’i nabod. Rodd hi wedi câl ’i chloi mâs o’r ysgol fan’ny lle’r odd y merched yn lletya. A mynte Dennis,

“Dewch mewn fan hyn. Fe allwch chi gysgu yn y car.”

A dyna be ddigwyddodd. Fe ath hi mewn i’r sêt gefen at Dennis. Yn y cyf-amser rown i wedi tynnu ’nhrowser a ’nghrys, a fan’ny own i’n cysgu, nawr, a dim ond pants a fest amdana i. Ond er ’mod i’n cysgu, ma’n rhaid ’mod i’n ymwybodol o bresenoldeb y ddynes ’ma, wath pan ddihunes i yng nghanol y nos rown i’n gonynfawr, ontefe, rown i’n teimlo fel tawn i ar gefen rocet.

Fe neides o’r sêt flân ar ben y delynores. Fe sgrechodd honno a dianc mâs drw’r ffenest a fe redodd bant lawr y strît, a finne, a dim ond pants a fest amdana i, yn rhedeg fel y diawl ar ’i hôl hi.

Fe ddihangodd i rwle, ond meddyliwch, tai’r polîs wedi ’nal i, fe fydde’r stori yn y “Niws of ddy Wyrld.”

Fe weles i’r delynores sawl gwaith wedyn, ond soniodd hi ddim am y noson ’ny yn Steddfod Aberteifi. Y cwbwl fydde hi’n weud odd,

“Shwt ma Dennis?”

Rown i wedi mynd i ysbryd y darn, chweld, a ma hynny’n galler bod yn gynhyrf-us iawn ar brydie. Ma angen cadw’ch pen mewn creisis. Meddyliwch am Lleu Llaw Gyffes, mor hunan-feddiannol odd e. Fe ddangosodd hynny pan anelodd e’i fwa sâth a hollti gewyn dryw bach odd wedi disgyn ar ystlys y llong.

Ond cymharwch hynny â’r hyn ddigwyddodd i Ianto Llwyncrwn. Rodd Ianto’n iste wrth y tân yn dangos i Jac Moel-fach shwt odd anelu’r gwn twelf bôr, a fan’ny odd Sara’i wraig yn gweu yn hapus o dan y fantell shimne.

Fe gododd Ianto’r gwn at ’i ysgwydd a nelu. Dyna i gyd odd e’n feddwl neud. Ond ar yr eiliad ’ny be ddath mâs o dan y seld odd llygoden fowr. Wel, fe ath Ianto i ysbryd y darn, a dyma fe’n tano. Fe danodd nes odd y seld yn yfflon a Sara’n tasgu nes bwrodd ’i phen yn erbyn y fantell. Ond rodd y llygoden fowr yn holliach.

A rwy’n hiraethu llawer am yr hen gwmnïeth hyfryd ’na. Meddyliwch am nos Sul, wedi’r oedfa. Fe fydde pobol yn ymgynnull yn tŷ ni, Brynsiriol, pobol fel

Dafi Pant-y-grugos, Ifan Crugcou a Ianto Llwyncrwn.

Y peth mowr 'da fi ar y pryd odd conjyrin trics. Rown i'n torri hysbysebion mâs o gefen bocsus cwêcyr ôts a hala bant i moyn trics newydd. Diawl, rodd rhyw dric newydd yn cyrradd bob bore, a rown i'n cynllunio rhai 'yn hunan.

Dyna lle bydde Dafi Pant-y-grugos a Ifan Crugcou yn twrio ym mhobman, a moelyd y bwrdd i weld shwt odd y trics yn gweitho. Ond iste nôl, ac edmygu'r cyfan fydde Ianto. Fe fydde fe'n gweud am y lleill,

"Jiw, ma bai arnyn nhw, Eirwyn, ma bai mowr arnyn nhw. Fyddwn i byth yn gneud y fath beth. Chi'n gweld, Eirwyn, rwy'n enjoio majic."

Wy'n cofio Dennis, Dewi Lloyd a finne wedyn yn paratoi i fynd mâs un prynhawn dydd Sadwrn. Rodd y trowsyr clips mlân yn barod, a'r beics wedi'u olio. Ond pwy gyrhaeddodd ond Ianto. Dod draw i 'nysgu i shwt odd shafo ar y raser fowr odd e, mynte fe. Ond rown i wedi shafo. Dim ond esgus odd y cwbwl 'da Ianto er mwyn iddo fe gâl shafo'i hunan.

Fe shafodd Ianto, ond yn lle mynd adre rodd yn rhaid gwrando ar y gramaffôn. Rodd e'n dwli ar wrando ar y cantorion mowr, a John Roberts odd 'i ffefryn e.

Ar ôl gwrando ar y recordie i gyd fe ath Ianto ati wedyn i'w beirniadu nhw, fel tai e mewn steddfod. Wedyn dyma droi at ddiwinyddieth, agor y Geiriadur Ysgrythurol a darllen ystyr enwaediad a phethe dyrus felny, a châl 'yn goleuo 'da Ianto.

Diawl, cyn i ni sylweddoli rodd hi'n dri o'r gloch y bore. Dyma fi nawr yn tynnu'r corn mowr bant o'r gramaffon a hala Ianto i ganu drwyddo fe, a finne'n cyfeirio'r corn rownd i gornel y star fel bod mam yn dihuno a chodi, a hala pawb adre.

A dyna i chi oedfa fowr fuodd hi. Shafo, y gramaffon, beirniadeithe Ianto, esboniade Ianto wedyn ar y Geiriadur Ysgrythurol, ond dim un peint. Rhyw oedfa wahanol, ontefe.

Y tro ola i fi weld Ianto, rodd e'n sefyll ar sgwâr Llandysul. Pan welodd e fi, fe oleuodd 'i wyneb e a dyma fe draw ata i ar unweth.

"Eirwyn," mynte fe, gan roi 'i law ar 'yn ysgwydd i, "wyt ti'n cofio dyddie'r gramaffôn a recordie'r cantorion mowr?"

A fan'ny, ar ganol y sgwâr, dyma Ianto'n torri mâs i ganu "Y Golomen Wen."

Dew, fe ddath pobol i ben dryse'r tai, fe ddath pobol i'r ffenestri i weld pwy odd y dyn 'ma odd yn canu ar sgwâr Llandysul gyda'r fath angerdd.

Ie, dyna'r tro ola i fi weld Ianto Llwyn-crwn, un o'r dynion mwya diddorol a gwreiddiol a weles i eriôd. Erbyn hyn ma Ianto a'r hen fois erill wedi mynd i gyd, a ma'r byd yn dlotach o'u colli nhw. Ma nhw wedi gadel rhyw dawelwch mowr ar 'u hôl, rhyw wacter na chaiff byth mo'i lanw. Wnawn ni byth weld 'u tebyg eto.